大切な声を守り続ける本

音声専門医35年──「文殊の知恵」のひとりごと 2

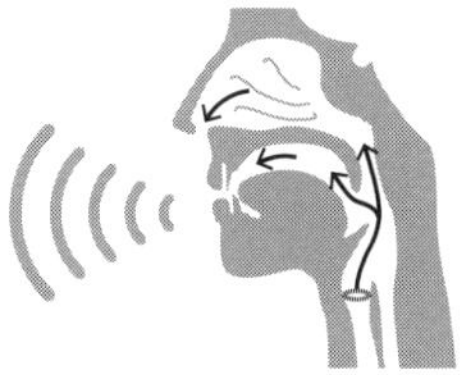

医学博士
文珠敏郎

現代書林

はじめに

歌手、声楽家、声優、アナウンサー、教師、セミナー講師、販売員、営業マン……、これらはいずれも「声」を使用する職業の方です。

こうした歌うことや話すことを仕事とする人を職業的音声使用者（以下略して「声のプロ」とします）と呼びます。声のプロにとって声は大切な商売道具であり、いかにして「良い声を守るか」は死活問題です。

日夜、仕事のために声を使っている声のプロは、自分の声を傷めてしまったら仕事ができません。ですから、日頃から声を守るための努力を人一倍払っています。

また、獲得した声にさらに磨きをかけ、人前で素晴らしい声を披露するための訓練を続けている人もたくさんいます。彼らもまた、苦労して培った声をいかに維持するかに細心の注意を払っているはずです。

一方、声のプロ以外の人にとっても、声は自分を表現するための大切なコミュニケーションツールであり、後述するように、声は病気のリスクなどを知らせてくれる健康のバロメーターでもあります。

つまり、「健康な良い声を守ること」は誰にとっても大切なことなのです。

私は耳鼻咽喉科医で、その中でも音声を専門にする「臨床音声専門医」です。「声の相談医」といったほうがわかりやすいかもしれません。

約40年前に大阪市で耳鼻咽喉科を開業しましたが、当時は声のトラブルで来院される患者さんはあまりいませんでした。

その1つの理由としては、耳鼻咽喉科はよく「耳鼻科」と略されるため、「耳」「鼻」の病気で来られる方は多いものの、「咽喉（喉）」の専門医だということが知られていないのかなと考えていた時期もありました。

ところが、開業してまもなく、「声の相談コーナー」を外来に併設すると、声の悩みを持つ患者さんが一気に増えたのです。ちょうどカラオケブームが始まった頃です。

受診される患者さんは、カラオケで声の悩みを持つ患者さんだけでなく、声の使用を仕事とする声のプロが圧倒的に多く、「声を傷めて仕事ができない」「生活していけない」と悲壮感をもって訴える人もいました。

患者さんの中には、「私がこんなに声のことで苦労しているのに、どこへ行ってもきちんと取り合ってくれない」という声も多く耳にしました。

声のプロが持つ「声のトラブル」は訴えが多彩な上に、訴えている内容を理解するのが難しいというのが当時の印象でした。

そのため、他の疾患と同じように身体的なことばかりに対応するだけでは不充分であり、声のトラブルの内容に踏み込んで理解することが必要だと考えるようになりました。

そうした臨床経験をもとに、２０１６年に現代書林から『声の悩みを解決する本　音声専門医35年――「文殊の知恵」のひとりごと』という本を上梓しました。おかげざまで大きな反響をいただきました。

声のプロばかりでなく、カラオケファンやアマチュアで歌をうたっている方などからの反応もたくさんあり、多くの方が声のトラブルに悩んでいることを改めて知りました。

今回、こうした前著の反響を踏まえつつ、新たに続編を出版することにしました。

本書のメインテーマは、「予防」という角度から声について考えることです。

声の悩みを解決することはもちろんですが、健康な声を守るための予防法をアドバイスすることも、臨床音声専門医としての大きな役割だと思います。

自分の大切な声をどう守ればよいのか？
努力して手に入れた素晴らしい声をいかに維持すればよいのか？
声のトラブルを起こさないようにするにはどんな対策が必要なのか？
本書でこれらのヒントを提示したいと思います。

目次

第2章　声の衛生管理はとても大切です

第3章　こんなことをしたら声を傷めますよ

第4章

声を使う人に知っておいてほしいこと

付章

「小文式呼吸訓練法」

――パワフルな腹式呼吸を習得するために

第1章

「声のトラブル」について考えましょう

声の異変（声のトラブル）は病気の危険信号です

最近、声を使うことを職業にしている人ばかりでなく、会議でのプレゼンテーションを良い声で行いたいというサラリーマンや、カラオケや朗読など声を使う趣味を持つ人が増えているなど、声に対する関心は高まっています。そして、それに伴って声のトラブルに悩む人も多くなってきています。

健康な良い声をいつまでも保つために、まずはじめに知っておいてほしいことがあります。それは「声にはどんなトラブルがあるか」ということです。

われわれ臨床音声専門医は、まず問診によって声のトラブルの原因や誘因を解明する努力をします。それがわかれば、その方の声の悩みの半分は解明できます。

では、声のトラブルにはどのようなものがあるでしょうか？

声のプロのトラブルについて書く前に、まず一般の患者さん（声の使用が日常会話程度の方）が訴える声のトラブルについて挙げてみます。

①声がかれる（嗄声）

②声が出ない（失声）

③声を出すと喉が痛い（咽頭痛）

④喉に異物感・不快感がある

こうした一般の方の「声のトラブル」は多くなく、訴えてくる内容も理解できますし、診断や治療に困ることがあるように見えません。声の不調、自分の声の変化というのは、声帯や周囲の組織に何らかの異変が起きたサインです。もちろん、風邪による上気道炎など扁桃腺の炎症もあり、声に影響が現れることは一般の診療でも頻繁に見られることです。

しかし、声は実は全身の健康のバロメーターでもあります。意外に思われるかもしれませんが、声の異変から生命に関わる重大な病気が見つかることも少なくありません。

頻度としては多くありませんが、誤嚥性肺炎、大動脈瘤、脳梗塞、逆流性食道炎、喉頭がんなどが、声の異常から発見されることもあります。特に、声の不調が長引くときは要注意です。日頃から声を使う頻度の低い人も、たとえ軽い「声のトラブル」であったとしても、自分で判断せず、早めに耳鼻咽喉科の専門医を受診することです。

声の健康を守るというのは、こうした声が発している病気のサインに敏感になるということでもあります。それは、すなわち健康な人生を送るための秘訣なのです。

声にはどんなトラブルがあるのでしょうか？

声を使うことを職業にしている「声のプロ」の場合、前述したように、一般の人と違って声の悩みの訴えは多彩です。

声には「話声」と「歌声」の2種類があります。同じ声を使う場合でも、話すときと歌うときではその使い方が違います。

話声を使う職業は、アナウンサー、教職者、司会者、舞台俳優などです。一方、歌声を使うのは、ポップス・ジャズ歌手、声楽家、古典芸能など、たくさんのジャンルがあります。さらに、ジャンルによって、それぞれ声の使い方は違います。

「話声」と「歌声」では、さまざまなジャンルによって声のトラブルの起こり方や病型、障害の程度が個人個人で違います。これが声の悩みを解決することの難しさであり、音声専門医として苦労するところです。

話声発声者（特に教職者）が訴えるトラブルと声楽家が訴える声の悩みを次ページにそれぞれ列挙しました。

話声発声者（特に教職者）が訴えるトラブル

- 授業中に声がかれてくる
- 1日の終わり、週末になると声が出なくなる
- しゃべっているとピッチが下がってくる（話声位の低下）
- しゃべっていると喉が痛くなる
- 大きな声が出なくなる
- 声がうわずってくる、声の調子が高くなる
- 声域が狭くなる
- 高音域が出なくなる
- 子どもたちと一緒に歌えない

声楽家が訴える声の悩み

- 高音が出ない
- 声区の変わり目がスムーズに歌えない
- 音程が定まらない
- 声が切れる
- ピッチが下がる
- 低音が響かない
- 声がうわずる
- ポルタメントができない
- 大きな声が出ない
- 声が前に出ない
- 声が通らない
- 遠くまで聞こえない
- 弱音（pp）ができない
- 声が響かない
- 声がはまらない
- 鳴りが悪い
- 母音の統一した響きが得られない
- 声が抜けない
- 声が重たい
- 声が硬い
- 声が割れる
- 声が鳴りすぎる
- 艶のない声になる
- 声の立ち上がりがスムーズでない（起声のトラブル）
- ハミングができない
- 声が途切れる
- 音程の持続ができない（定まらない）
- 強さの継続ができない
- 歌唱中にフレーズが続かない
- 息の漏れた声になる（息だけの声になる）
- ヴィブラートの異常
- ロングトーンが安定しない
- 息が上らない
- 息が回らない
- 声が息に乗らない
- 息の支えが崩れてしまう
- 声を出すと喉が痛い
- 声がひっくり返る
- 歌っていると声がかすれてくる
- 喉にからむ、引っかかる
- 喉が詰まる
- 喉がカスカスになる
- 咳払いしたくなる
- 声が耳に響く、こもる
- 耳のそばで歌われると耳がガンガンする

同じ〝声〟を仕事としている人たちでも、教職者と声楽家ではそれぞれ違った訴えがあり、特に声楽家では実に多彩な声の悩みを持っていることがわかると思います。

では、それぞれの患者さんの訴えに耳を傾けてみましょう。

●症例：小学校教諭（勤続20年） 40歳代後半 女性

「週の始まりは声の調子は良いのですが、週末になると朝から晩まで声を出すのがつらくなるんです。場合によっては途中で声にならなくなります。土曜と日曜に休んで次の週から同じパターンを繰り返しますが、土日にイベントが入ると大変です」

こうした訴えで来院される教職者は少なくありません。その人にもよりますが、臨床音声専門医のもとで治療すれば、ある程度の改善は望めます。

この患者さんの場合は、定年までまだ間があります。完治してきれいな声にならなくても（そうなることを望みますが）、今以上に声を悪化させずに維持することが大切で、そのためのケアをすることが重要になります。

●症例：声楽家　30歳代後半　女性

30歳代に入ってから舞台へのオファーが増え、将来を嘱望されている方です。

「最近、声が高いところに上がらないし、ときどき声がなくなってしまうし、音程が安定しないのです。近々オペラの主役に決まっているのですが、これでは舞台に上がれません。何とかしてください」

声のプロの中でも声楽家の診察が最も難しいというのが、40年近く声を診てきた印象です。というのも、私は医者であり、声楽発声のたしなみもありません。そのため、彼らの声、特に発声技術については充分理解できないので説得もできません。ただ、問診で彼らがこのような発声の悩みに至った経緯を話してもらい、その原因あるいは誘因が判明すれば、所見と合わせて悪い部分の発声を聴いて、私なりの判断で解決の糸口を見つける努力をしてきました。

この2つの例だけからも、声の診察が一筋縄ではいかないことをご理解いただけるでしょう。

特に、歌うこと（歌声）を仕事にしている人では、さらに音楽のジャンルによって声のトラブルの種類も違ってきますし、理解しがたい悩みもあります。これら声のトラブルの1つ1つを解決して、元の状態の声に戻してあげることが臨床音声専門医の使命なのです。

あなたの「シルバーボイス」を検証してみてください

中年以降になると、「自分の声が老けた」と感じる人もいるでしょう。あるいは、久しぶりに聴いた両親の声に「老けたな」と感じることもあると思います。

年齢を重ねると、声がかすれたり、しわがれ声になったり、出にくくなったりしていきます。

これはどうしてなのでしょう？

音源である声帯にちゃんとした振動が起こらないと声にならないので、それには息の流れが必要になります。つまり呼吸が機能してくれるかどうかということです。

呼吸するためには、上体に張りめぐらされた呼吸筋の働きが大切で、その働きが悪くなる（衰えてくる）と、たくさんの息を使うことができなくなります。

呼吸筋が痩せるということは、声帯にある筋肉も痩せてくるということです。こうなると、左右の声帯がきっちり閉じずに隙間ができて、声を出そうとすると息が漏れた〝しゃがれ声〟になってしまいます。

特に女性の場合には、更年期を過ぎるとホルモンの変調による影響もあって、声帯を潤す分泌液が減って、声が少しずつ変化してくることが多く見られます。声帯のまわりだけでなく、鼻腔、口腔、咽頭など、声道（51ページ図参照）の粘膜からの分泌液減少により、女性に限らず年齢とともに言葉の滑舌、音色などにも影響が出てきます。

このような加齢によって、声にどのようなトラブルが起こるのかを以下に箇条書きにしてみます。

- 声がかすれる
- しわがれ声になる
- 大きな声が出ない
- 以前のような音域が出ない
- 発声している途中で声が切れる
- 声の響きが悪い
- 言葉の明瞭度が低い
- 話声位（いつもしゃべっている声の高さ）が男性は高くなり、女性は低くなる

こうした加齢によるトラブルに対して、「長い間、〝声〟を使ってきたのだから、少しこのあたりで休んだらどうですか？」と言ってあげたいところですが、それは駄目です。

そうかと言って、〝声〟の老化現象だからとあきらめることはありません。

私の答えはこうです。

「今まで通り、使ってください！」

そもそも高齢者の「老いた声」「老け声」「老人の声」という文言は、著者が高齢者だから言うのではないですが、言ってほしくない文言です。

もう少し洒落た、スマートな文言はないものか……。いろいろ考えをめぐらせて思いついたのが、この言葉です。

「シルバーボイス」（silver voice）

どうでしょう？　カッコイイ文言ではないですか？

金属のシルバーは放置すると、空気中にある硫化水素で黒く変色します。自宅にあるシルバーのスプーンを点検してみてください。黒く変色していたら、きれいに磨いてみましょう。きっと輝くはずです。

声も同じです。高齢になったからといって、暗いイメージで声を捉えるのではなく、「まだ磨けば、いくらでも輝きが出る！」、こんなイメージで声と付き合っていってもらいたいです。

先日、大阪フェスティバルホールで『ラ・マンチャの男』の舞台公演がありました。大阪での公演は3回目で、私は1回目（30年くらい前）から毎回続けて観ています。

主演は、松本幸四郎さん（現在は襲名されて白鸚《はくおう》さん）。1回目の公演前に「声のトラブル」で診察させていただいてからのご縁もあって、毎回観劇させていただいていますが、3回目である今回は77歳になられ、しかも7日間休みなしの公演です。私は千秋楽に行ったのですが、まったく疲れを感じさせず、張りがあって、しかも重厚感のある素晴らしい声を聴いて、とても驚き、感激しました。

白鸚さんは77歳のご高齢で、れっきとした「シルバーボイス」です。格調高い歌舞伎の世界で育まれた〝声〟だけに、高い芸術性を維持し続けられるためには、想像を絶する苦労があると思います（今回の本では、帯にありがたいご推薦をいただきました）。

皆さんも光り輝くシルバーボイスを得るために、ぜひ自分の声を磨いてください。いくつになっても、呼吸ができている限りは可能性ありです。

最近は高齢の方々が歌をうたうために、しかも今までにやったことのないジャンルの歌をうたいたいと言って、声の相談に来られることが多くなりました。

私は、シルバーボイスに磨きをかけるための呼吸セミナーを年3回くらいやってきました。

本書の付章でもご紹介している「小文式呼吸訓練法」（前著にも詳しく掲載しています）です。そもそもこの呼吸訓練を始めたきっかけは、かれこれ30年前になります。ある患者さんが、そのきっかけとなりました。

その患者さんは70代の男性で、来院してこう言いました。

「最近、声がかすれるし、大きな声も出ないし……。まあ、家内が1年前に亡くなったから、話す必要もないからいいんだけど……。先日、仲間にカラオケに連れて行かれたけど、歌えなくて、仲間に『お前、声がおかしいから医者に行け』と言われて、気になったから来ました。がんかどうか調べてください」

診察結果は「声帯委縮症」。奥さんが亡くなってから、ほどんどしゃべらない日もあるとかで、私はこのように言いました。

「がんではないから、仲間と歌いたいなら発声の訓練をしてみませんか？」

当時はカラオケブームの真っただ中で、この方の訴えと同じ声のトラブルを持つ患者さんも多かったので、声楽発声で行っている腹式呼吸マニュアルを導入して音声訓練を始めたところでした。

この70代の男性にも、週に1～2回訓練しました。その上で、朝晩に新聞を読むときは、声に出して読むようにしてもらいました。そして、できるだけ人とおしゃべりするように指導しました。

この方も、ご自身の努力のかいもあって、１か月くらいで以前の声に戻ったと喜んでおられました。

歩かないと足の筋肉は痩せて機能しなくなります。寝たきりにならないためにも、歩くことが大切です。

これと同じように、声帯を鳴らすためのパワーは、息です。息を充分に摂り入れること、すなわち酸素を充分に摂り入れて、できるだけ大きな声で歌ったり、しゃべったりすることが大切です。

腹式呼吸の習慣を持つことによって、これがスムーズに機能してくれることは間違いないところです。

高齢になるとともに、努めて良いことを続けて今の状態を維持することが、健康寿命を延ばすことにつながります。

声の基本を理解しておいてください

自分の声に関心のある方は、ある程度の〝声の知識〟を持つ努力はすべきです。

楽器を演奏する方は、その楽器を使いこなすために、楽器の構造、扱い方はもちろんのこと、その楽器の癖までも学習しています。その上、演奏が終わったら、当たり前に丁寧にお手入れをしています。

では、ご自身の声はどうですか?

楽器をされる人が自分の楽器の知識を持つように、声を出す人も以下にお話するくらいの声の知識は持っておいてください。詳しくは前著の中で書きましたので、そちらを参照してもらえれば嬉しいです。

ここでは、その基本だけを書いておきます。

楽器と違って、「歌っている」「しゃべっている」という実体を捉えることは、見えないだけに(発声するという)感覚だけに頼らなければならないところに難しさがあります。

そこでまず知っておいてほしいのは、音声生理学の冒頭にも出てくる「音声成立の三要素」が声の基本になっているということです。次ページの図を見てもらえればわかるように、「声」について考えるときは、声帯だけに注目するのではありません。

まず、呼吸によって息が喉頭の中にある声帯を振動させて（鳴らして）、音がつくられます。この音源となる音を「喉頭原音」と呼びます。声帯でつくられる喉頭原音は、まだ声ではありません。マウスピースを吹いたときに出る音と同じで、声に近いきれいな音ではありません。

この喉頭原音が喉頭の上にある咽頭腔、口腔、鼻腔という共鳴腔に入ってきれいな音色をつくり、また構音という働きで言葉がつくられ、口唇から外に放射されます。これが声です。

要するに、声はこの3つの器官、つまり呼吸器官、発声器官、共鳴（構音）器官が働いてくれて、つくり出されているので、私たちが声を出す、つまり発声をするときには、この3つのことをわかっていることが大切です。

- **呼吸器官**……………発声するためのエネルギー源となる肺と、そこに息を流す気管支、気管
- **発声器官**……………喉頭の中にある声帯が音源となって喉頭原音をつくる
- **共鳴（構音）器官**…咽頭、口腔、鼻腔で喉頭原音に装飾された音色をつけ、響きをつける。また、言葉をつくり出す

音声器官の構造

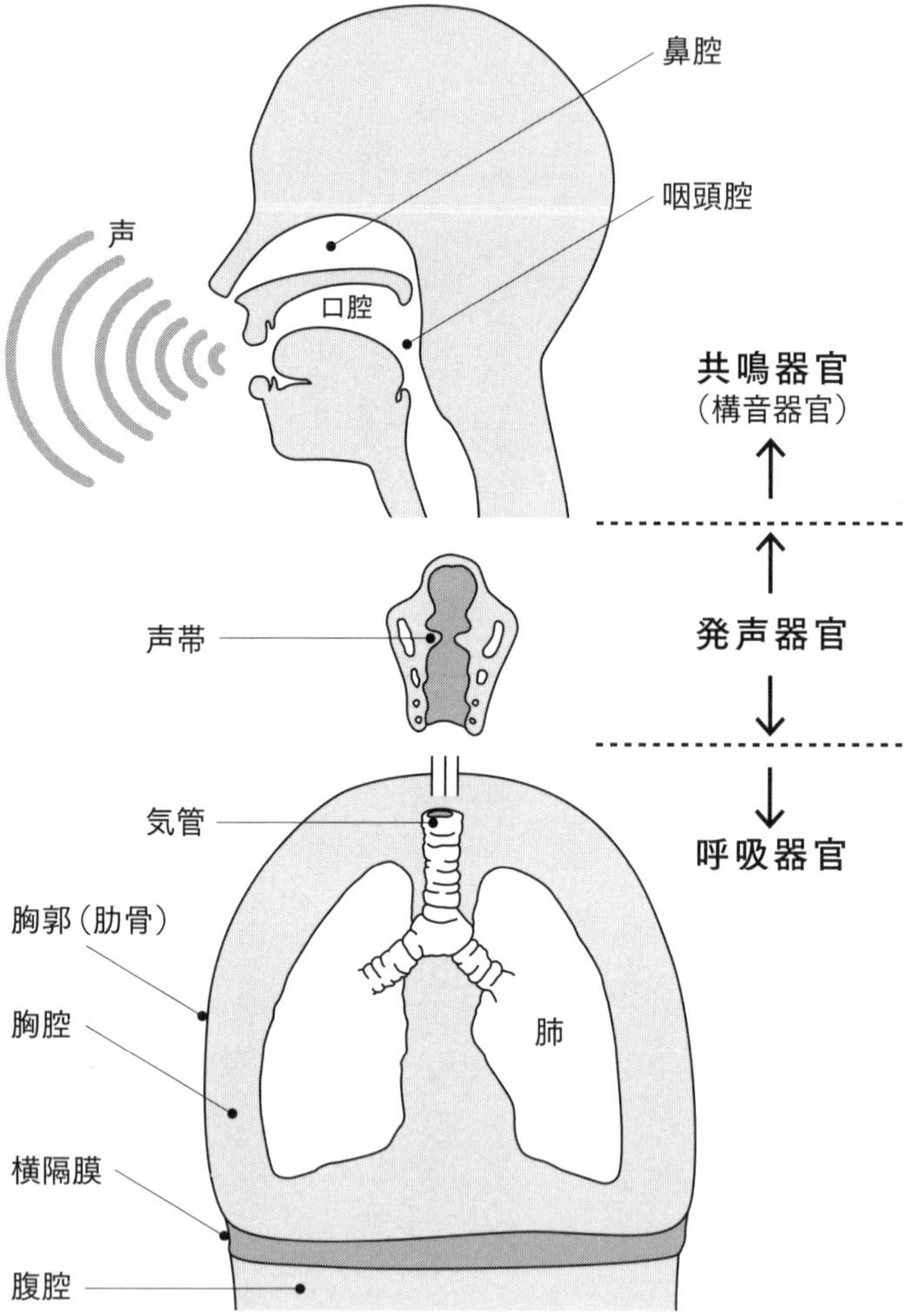

鼻腔
咽頭腔
声
口腔
共鳴器官
（構音器官）
声帯
発声器官
気管
呼吸器官
胸郭（肋骨）
胸腔
肺
横隔膜
腹腔

ここで、声を考えるにあたり第一に挙げた「呼吸」について少し触れておきます。人が呼吸をするということは、肺に息を入れていることであり、そこに入った息を出していることです。その繰り返しをしているわけです。

人はその当たり前のことを四六時中やっているわけですが、「肺は自ら呼吸をしない」というのが呼吸生理学の冒頭に書いてあります。つまり、肺は呼吸をさせられているのです。

安静時呼吸といって、静かにして呼吸をしているときは５００㎖の息が出たり入ったりします。これは無意識下にある呼吸で、脳幹部にある呼吸中枢が勝手に操作しているのです。それが「歌いましょう」「しゃべりましょう」となると、意識下の呼吸になって呼吸筋に運動中枢から命令が出て、大きく息を吸い、たくさんの息を出して、声の動力源としているのです。

こうした意識下呼吸は、使う筋肉によって呼吸様式が変わってきます。大きく分けると、次のように胸式呼吸と腹式呼吸があります。

- **胸式呼吸**……背骨、肋骨などが胸部にある筋肉とともに形づくっている胸郭を前後・左右に広げて呼吸する様式。
- **腹式呼吸**……胸郭の底辺に位置する横隔膜という筋肉を動かし（下降させ）、胸腔の容積を広げて呼吸する様式（次ページ図参照）。

呼吸のメカニズム（ドンデルス氏の呼吸模型）

[呼気]

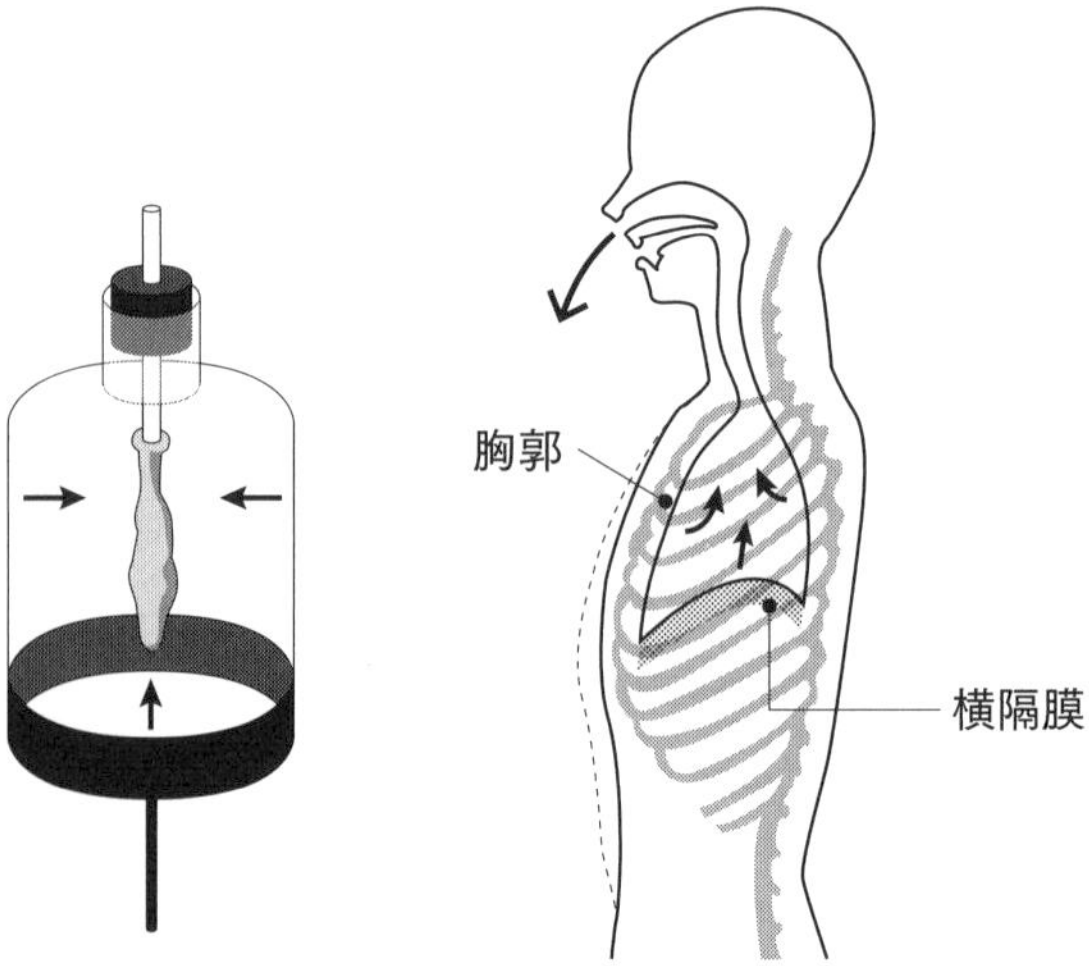

[吸気]

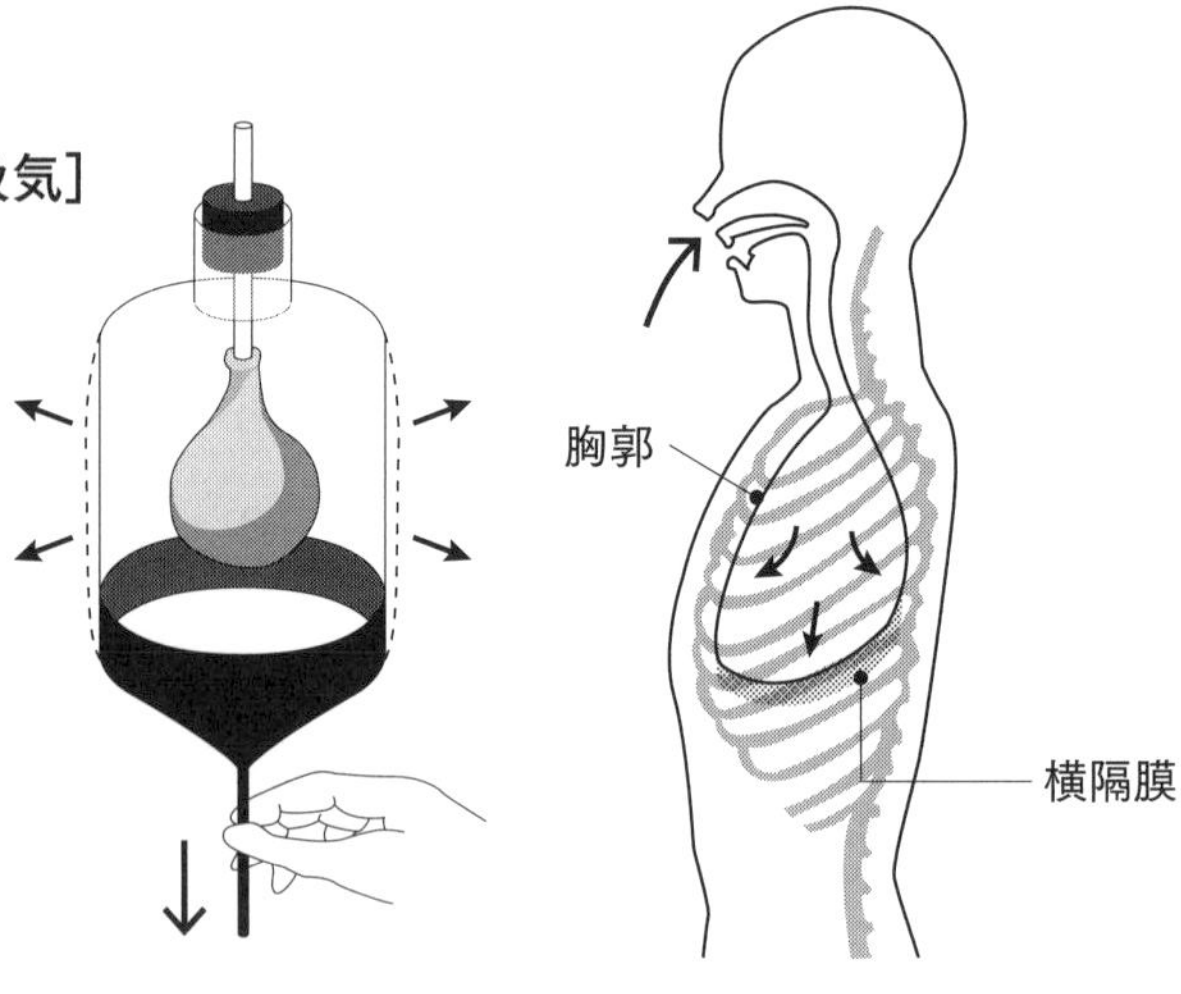

次に、音源となる発声器官について見ていくと、次ページの図のように2本の声帯があります。声帯は筋肉とその上の粘膜で覆われているヒダですが、閉じている状態を「声門閉鎖」、両側に離れた状態を「声門開大」と言って、声を出すときは前者、息を吸ったり声帯を使わないときは後者の状態になっています。

長さは、男性で2・0㎝、女性は少し短くて、人によって厚みがあったり、長さも長短いろいろな形状が見られます。

喉頭にはもう1つ知っておいてもらいたい「喉頭蓋」という軟骨があります。こちらもいろいろと形状の差がありますが、横から眺めると上に向けて〝ヘラ〟のようなものが立っています（33ページ図参照）。

喉頭蓋は、後でもお話しますが、嚥下に際して大切な役目を持っています。

続いて共鳴器官を見てみましょう。先述したように、ここは声に最後の加工をする場所です。歌う場合には、音色のことや響きのことを考える場所ですが、言葉をつくる（構音）場所でもあるわけです。

構音の働きには、口腔内の舌、口唇、あごの開け方などが関係していて、正しい言葉をつくるには、これらをいかに上手に操作するかということになります。

上から見た声帯（喉頭内面）

[息を吸っているとき]

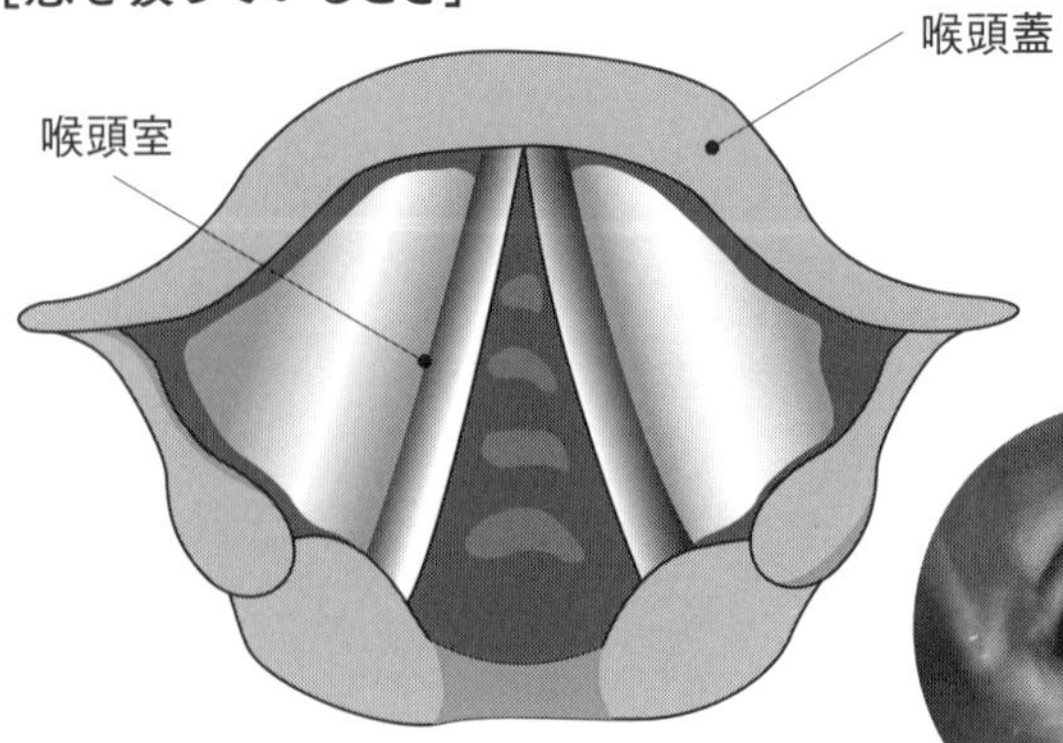

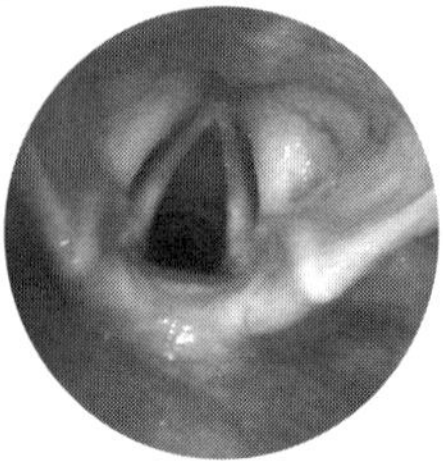

[発声しているとき]

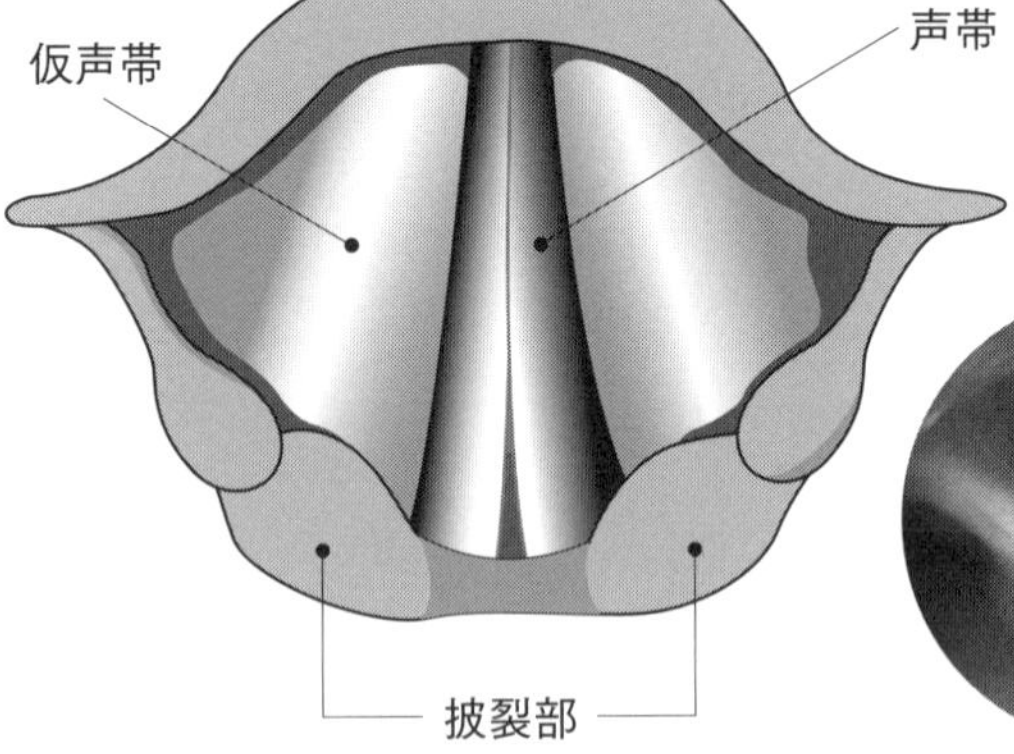

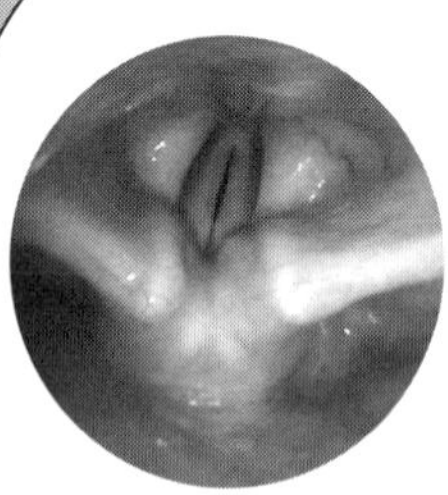

鼻・咽頭・喉頭・気管の構造

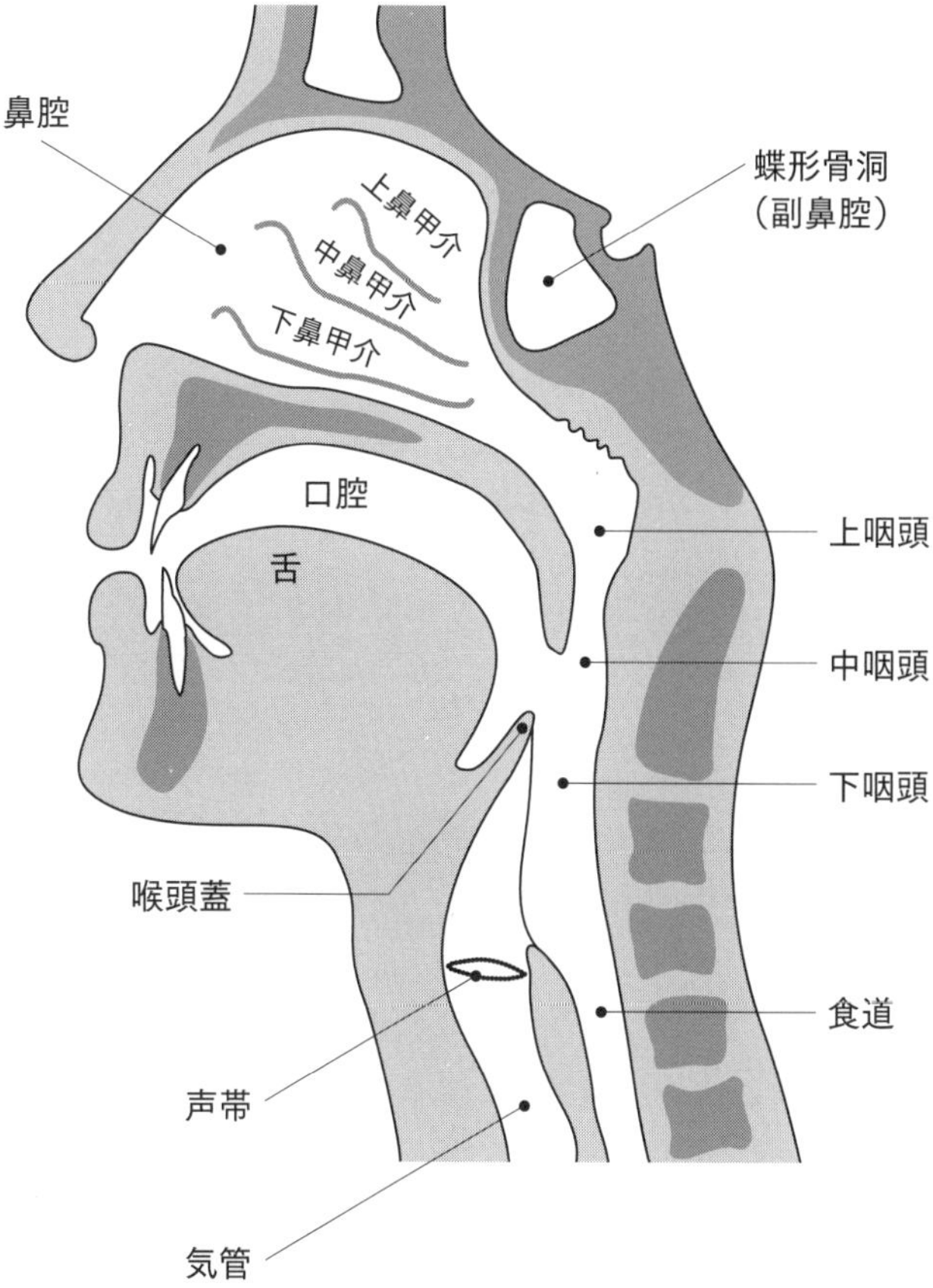
鼻腔
上鼻甲介
中鼻甲介
下鼻甲介
蝶形骨洞
（副鼻腔）
口腔
舌
上咽頭
中咽頭
下咽頭
喉頭蓋
食道
声帯
気管

声のプロの中でも、話声発声の人にとって、こうした訓練は大変だと思います。また、歌う人にとっては、歌詞がついていることから、音色、響きだけでなく、構音と合体した形で、素晴らしい歌声発声をしていかなければならないという点で、さらに大変なことだと思います。

鼻腔も共鳴腔の付属管腔と位置づけられ、人によっては鼻腔共鳴の大切さを強調されますが、まだわからないことが多いところです。鼻腔については、これから出てくる各項目で適時エピソードを交えて書いていきます。

人の声は身体の中に広く分布している筋肉の働き、呼吸に関与する筋肉の働きで息を動かし、発声という行動様式によって声帯で音源をつくっています。

この声帯でつくられた喉頭原音が、素晴らしい歌声や明瞭度の高い話声につながります。共鳴、そして構音器官のことを理解することが、声の知識の基本であることをぜひ知っておいてください。

第2章

声の衛生管理はとても大切です

自分の健康管理をしましょう

あなたは、自分の健康管理をしっかりと行っているでしょうか？声を守るためには、声も含めた全身の健康管理がとても大切になります。

もちろん声に限らず、誰でも自分の健康については関心があると思います。かかりつけ医で定期健診を受けている人もいるでしょう。最近は医療機器が非常に発達していて、人間ドックも充実しています。いくつになっても元気に生活でき、仕事を続けられるというのが健康の基本的な考え方です。

前章でもお話したように、声というものは「呼吸」「音源」「共鳴（構音）」という3つの要素によってつくられています。

したがって、発声器官である喉頭（声帯）の部分だけを見るのではなく、呼吸器官である肺、気管、気管支や、共鳴器官である咽頭、鼻腔、口腔などの定期点検は必要で、これらがすべて健康に働いてくれなければ、〝良い声〟は出ないということになります。

良い声を出すために、これらの音声器官に関する定期点検をすることは、もちろん大切なことなのですが、これらの器官を視点を変えて見てみると、私たちが生きていく上で大切な〝呼吸をする〟器官であることがわかります。さらに、〝食べものを摂取する〟器官と共存していることも忘れてはなりません。

ですから、点検をする場所としては、〝呼吸をする〟器官として見る場合には、空気の通る道である上気道、下気道について、さらには気管支、肺、肺胞、また口腔、咽頭、喉頭では〝食べものの摂取〟に関わる咀嚼、嚥下について注意が必要です。

そしてもう1つ、声を使うには、自分の声の良し悪しを判断する手段として「耳」で聴いているわけですから、ここを無視することはできません。

誰もが加齢とともに老眼になるように、聴力も衰えてきます。人間ドックなどでは、最近は必ず検査項目に聴力検査が含まれているので、大変良いことだと感じています。

音楽をする人は、「声」と同様に「聴く能力」が必要になるので、高齢者はもちろんのこと、若い人でも定期的な聴力検査をお勧めします。

既往症・慢性疾患の定期的なチェックをしましょう

あなたは、以前かかった病気のチェックを行っていますか？

手術などを含めた既往症がある場合、また慢性疾患を持っている方は、その定期的なチェックをすることは非常に大切です。

手術をしてから何か月か経って、声がきちんと出ないという理由で受診される方がいます。また、体調不良があって、その原因は何かということで相談に来る人もいます。

今はかかりつけ医を持っている方も多いと思います。そうした医師と相談しながら自分の身体の知識を持っておいてほしいと思います。

そして、何かトラブルがあったときに、前にかかった病気との関係はどうなっているのか、手術した後の影響はどうなのかということを必ず考えなければなりません。声のトラブルが自分のかかった病気とは関係ないだろうと自己判断することはいちばん危険です。

たとえば、虫垂炎の手術です。今は手術といっても内視鏡で行われますから、入院しても2、3日で退院できます。しかし、身体への負担は少ないといってもやはり手術には変わりありませんから、体内で何らかの変化が起こっている可能性もあります。

消化器外科の専門医によると、内視鏡で手術した場合でも、傷口が治るまでには2週間はかかるそうです。それでも患者さんは2、3日で帰されますから、本人はもう治ったと考えます。しかし、身体はまだ完全ではありません。

本来、かかりつけ医がそうした場合のケアをきちんとすべきです。もちろん、本人もそういうことをきちんと意識して、自分が人前で話すような仕事をしているのであれば、いつになれば普通に話していいのか、仕事を始めていいのかを慎重に考えなければいけません。術後の経過が声にも影響する可能性があることをしっかり考えるべきです。

女性の場合、お産も同じです。体調が戻らないのに歌いはじめると、産後出血などが起こることもあります。身体というのは微妙であり、どの部分が声に関係しているかわかりません。

病気を持っていて薬を飲んでいる人は、必ずお薬手帳を常に持参してください。お薬手帳を見て、声のトラブルの原因が薬の影響だとわかることもあります。

また、「骨折した後に歌っていいですか?」という質問がときどきあります。整形外科では骨がくっついていれば歌って大丈夫だと言いますが、必ずしもそれだけではなく、骨折したことによって身体のバランスが崩れていると声に影響が出ることもあります。

日々の身体の変調に気をつかいましょう

誰でも、朝起きたときに「今日は昨日とちょっと体調が違うな」とか「今日は調子がいいな」と感じることがあると思います。体調は日々変化します。

それは環境などの条件、気象、社会、家庭、心理状況などいろいろな要素が重なった結果です。こうした何らかの要素の影響によって、自分の身体が変調を来しているかもしれません。これは声も同じです。

前夜にお酒を飲みすぎて二日酔いになりそうであれば、翌日はいつものような声ではないと予測することです。声に関心のある人であれば、そういうちょっとした環境の変化にも敏感でいなければなりません。

プロの声楽家であれば、定期的に音声専門医を受診します。それは必要だからそうしているわけです。彼らは声の変調には非常に気をつかっています。

私はそうした患者さんが毎回受診するたびに、声帯の映像を撮影しておきます。一見、変化はなさそうに見えて、撮ってある映像を見比べると、わずかに所見に変化のあることがあります。そこで、自分の感覚で声についてメモを取っておき、声の調子が悪いときは映像で見た声帯の状態がどんなふうに違うのかをかかりつけ医に把握しておいてもらうとよいと思います。もちろん、自分でも理解することがベターです。それが結局、予防につながるのです。映像は、「こういう状態のときに歌うと調子が悪い」「こういう状態であればどんどん歌っていい」という判断材料になります。

特に声を使う仕事をしている方は、耳鼻咽喉科に行ったら自分の声の感覚的状況と、それに合わせて声帯の映像をUSBメモリーに記録しておいてもらうことです。お薬手帳と同じです。自分の声に生活がかかっている人であれば、そのくらいの努力はしてほしいと思います。

アナウンサーであれば、リスナーから「今日の声はおかしいよ！」とクレームが来ることもあるそうです。そんなときには、自分の声の感覚的状況と声帯の状態について記録しておき、これを何回か見ているうちに、自分でも良いとき・悪いときの差がわかってきます。

自分の画像をそういうふうに利用することが必要です。自分の画像を財産として持ち歩きましょう。それは声の健康について学ぶための材料にもなります。

テレビであれ、ラジオであれ、大衆に声の見本を示す〝声のプロ〟ですから、良い声をいつまでも維持し続ける努力をしてほしいです。

声と健康管理の2人のかかりつけ医を持ちましょう

自分の健康管理のためには、かかりつけ医を持っておき、定期健診を受けることが大切です。そして、かかりつけ医に自分の身体をすみずみまで理解しておいてもらいましょう。長く通っていれば、どんな医師でもその患者さんのことがある程度わかってきます。身体のことがわかるというのは、裏を返せばその人の背景も理解しているということです。たとえば、その人が短気なのかのんびりしている人かなど、性格によっても病気の現れ方や感じ方は異なります。大げさな人であれば、ちょっとしたことでも「痛い、痛い」と訴えるでしょう。そうしたことも含めて、自分の背景を知っておいてもらえるかかりつけ医を持つことが重要です。

その場合、必ずしも大きな病院なら安心というわけではありません。大学病院など大きな病院の役割は、難しい病気を治すことにあります。ですから、難しい病気の場合は大きな病院に紹介されて、手術など専門的な治療が終わると、かかりつけ医に返されます。手術を受けた患者さんにしてみれば、手術してくれた医師にずっと診てほしいと考えるかもしれません。しかし、大きな病院では、短期間で患者さんの背景まで深く理解するだけの時間的余裕はないと思います。

たとえ余裕があったとしても、医療機関としての機能が違うことを知っておくことです。そのような大きな病院は、かかりつけ医と必ず連携しています。

かかりつけ医は自分で選ぶことも大切です。よく話を聴いてくれるか、きちんと説明してくれるかなど、自分なりの基準で判断しましょう。いつでも駆けつけられる近所のクリニックであれば言うことはありません。

そして、声を使う仕事をしている人であれば、身体全体を診てくれる医師と、自分の声の悩みについて相談できる音声専門医の2人のかかりつけ医を持っておいてほしいと思います。

音声専門医を探すにはホームページが参考になります。「声の病院」と入力して検索すればたくさんの病院が出てくるでしょう。

ただし、具体的な診療内容や実力まではわかりませんから、実際に受診して信頼できる医師かどうかを判断することが大切になります。

声を使う環境に配慮しましょう

声を使う仕事をしている人は、自分が声を使う環境にも繊細でいる必要があります。環境には気象条件などいろいろな要素があります。

まず大切なのは気温です。歌声を使う人の場合、歌う場所の気温はほぼ22℃前後に設定し、直接風が当たらないようにすることが大切です。空気は乾燥させすぎないこと。そして、空気をできるだけ動かさないようにすることが大切です。

次に湿度です。湿度は50％以下にならないようにしましょう。声を使わなくても、就寝する部屋の湿度が50％を切ると、寝ている間に粘膜が乾燥して、朝起きたときに喉が痛くなります。さらに感染も起こしやすくなります。

歌の練習をする自宅の部屋には温度計、湿度計を置いて、常に気にするようにしましょう。乾燥が強いときには、水分を摂る、うがいをする、加湿器を使うなどといったことが予防になります。

水分補給はとても大切です。常に水筒やペットボトルなどにお茶を入れて持ち歩くようにしたいものです。喉のためには、冷たいものではなく、常温の飲み物が適しています。また、うがいをするよりも、飲み込んだほうがいいでしょう。飲むことで中咽頭や下咽頭、さらには食道の入り口まで洗い流し、潤いをもたらすことができます。がぶがぶと大量に飲む必要はありません。

大切なのは、こまめに飲むことです。１日１リットル〜１・５リットルは飲んでほしいと思います。そのくらい飲んでいれば、喉はいつも潤っています。

また、最近は簡易型の鼻のネブライザーもあります。鼻のネブライザーを使えば、上咽頭も潤います。

そして近年は、黄砂やＰＭ２・５などにも気をつかう必要があります。

黄砂にはいろいろなものが混入している可能性があるのか、症状の出方がまったく違います。声を使う人は、普通の人に比べたら敏感です。息を使う頻度が高く、量も多いためか、上気道感染になりやすいです。

とにかく黄砂情報が出たら、マスクをするようにしたほうがいいでしょう。

肩こりや首のこりを解消しておきましょう

悪い発声をすると肩がこると言います。

そうでなくても、パソコンを使う仕事をした後で歌わなければならないような場合には、肩こりが起こるでしょう。

また、最近は「スマホ首こり」も増えています。悪い姿勢でスマートフォンを長く見ていると、首と骨盤がゆがんできます。パソコン姿勢はまだ腕や上体は動いていますが、スマホは上体を固めてうつむき、一点を凝視するので、目の疲れも出て弊害はより大きくなります。

肩こりや首のこりを防ぐには姿勢が大切です。良い姿勢を保つには身体の重心、バランスが重要になります。重心を保つためには筋肉を緊張させなければなりません。ただ、常に身体が緊張していると過緊張になって、かえって肩がこります。

重心がきちんとしない姿勢で座っていると、骨盤が曲がってしまいます。骨盤がゆがむと、立っているときの重心も移動してしまいます。

声帯というのはちょうど身体の真ん中にあるので、重心がずれてまっすぐ立てていないと、喉頭のまわりの筋肉緊張に左右差が出るため、声帯がきちんと閉じなくなってしまいます。これを「喉頭斜位」と言い、声帯が閉じたときに正中軸がずれて声がかすれてしまいます。長い間、松葉杖をついて傾いた姿勢のままで歌っていた方で、喉頭斜位になったケースもありました。また、整形外科で「先天性筋性斜頚」と診断された症例も2例ありました。

このように、姿勢の重心や身体のバランスは声にとって非常に大切になります。

私の場合、患者さんに肩こりがあるかどうかを聞き、肩こりがあれば、できるだけ早くに解消するための手立てをするように指導し、長年提携している鍼灸接骨院に施術を依頼します。

肩こりの原因はいろいろあるので、予防のための指導は難しい部分もあります。そのため、声を使う前には簡単な柔軟体操をするように指導します。

筋肉はいったん過緊張になってしまうと、なかなかゆるみません。そうした場合には、専門家にケアを任せたほうがいいでしょう。

なお、筋肉を柔らかくする薬剤もありますが、そうした薬剤に頼ることはお勧めできません。

また、音声訓練（小文式呼吸訓練）をする際には、身体をほぐす簡易体操をしています。前著に詳しく書いてあるので、参考にしてください。

声のために日頃から運動をしましょう

日常的に身体を動かすことは声のためにも大切です。身体を動かすことは肩こりの予防にもつながります。

教壇に立って長時間しゃべる、舞台に立って大きな声でセリフを言う、歌う……このように声を出すというのは肉体労働です。ですから、アスリート並みの訓練をして鍛える必要があります。声を使う人たちは、スポーツトレーナーにトレーニングのメニューをつくってもらうようにしたいところです。外国の一流の人たちは実際にそうしていると聞きます。

歌をうたう人にしても、ただ歌っていればいいわけではありません。「あなたはアスリートなのです」と言いたいのです。アスリート並みに身体を鍛えておかなければ、長く歌い続けることはできないことを強調しておきます。

プロでなければ、なかなかトレーニングのメニューをつくってもらうことは難しいと思いますが、自分でできる運動を見つけて継続するようにしてほしいと思います。

私がお勧めしているのは呼吸の訓練です。これは姿勢矯正、柔軟体操から始まり、前著で説明した「小文式呼吸法」（付章参照）をマスターするもので、ぜひ続けてほしいと思います。

声を使う仕事で最もパワーが必要なジャンルの1つが「能楽」です。先日、高齢の能楽の師匠が「パワーが出ない」と言って来られたので、「もう一度呼吸の練習をしましょう」ということで「小文式呼吸訓練」をすることになりました。週1～2回ほど通ってもらい、1か月ほど練習をしたところ、よく声が出るようになりました。

年を取ると、身体の反応が悪くなってきます。そういうときには、身体を鍛えるよりも、呼吸の訓練をすることによってパワーが出てくるようになります。

最近、嚥下性肺炎が多くなりました。その予防として、声帯を鍛えて声帯がきちんと閉じるようにすればよいと書いてある本が少なくありません。それはもちろん大事なのですが、その前に正しい呼吸法を身につけて、呼吸筋を上手に使って息の使い方をコントロールし、声帯を訓練することが大切だと思っています。声帯を鍛えようとしていくら大きな声を出しても、呼吸の使い方がわかっていなければ逆に声帯を傷めてしまいます。

なお、身体を鍛えるのにいちばんいいのは泳ぐことと歩くことです。歌を仕事にしている人には、週に1回くらいはプールへ行って泳ぐようにアドバイスしています。そして毎日5千歩、できれば1万歩くらい歩きたいところです。

喉の3つの通り道の役割を知りましょう

前述したように、喉には3つの通り道があります。「気道」「声道」「食道」です（次ページ図参照）。

「気道」は、呼吸の際に息の通る道です。声帯を境目にして、口腔側を上気道、肺側を下気道と呼びます。

「声道」は、声帯でつくられた声が通る道です。喉頭から咽頭、口腔から口唇に至るルートと、咽頭、鼻腔に抜けるルートがあります。

「気道」は本来、呼吸のための息を運ぶ道ですが、一方で上気道は声帯でつくられた声を運ぶ「声道」でもあります。

喉にはもう1つ、飲食物の通り道である「食道」もあります（注：解剖学的に「食道」は咽頭と胃の間にある臓器名ですが、ここでは飲食物の通る道を便宜上、「食道」としています）。食物の通る道（食道）と息の通る道は途中まで共通の道になっています。

これら喉にある3つの道のうちで、大切なのは「気道」と「食道」です。この2つは生きて

喉にある3つのルート

[気道ルート]

鼻腔、口腔、
咽頭、喉頭（声帯）、
気管、肺

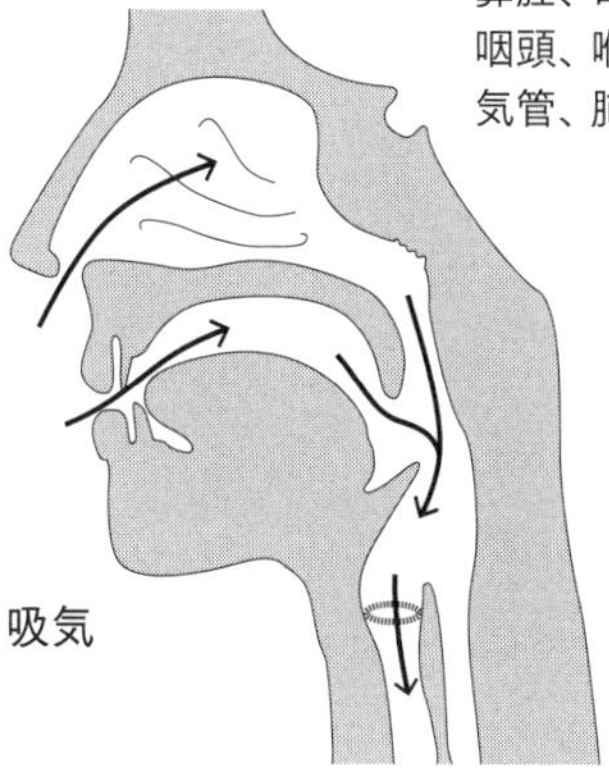

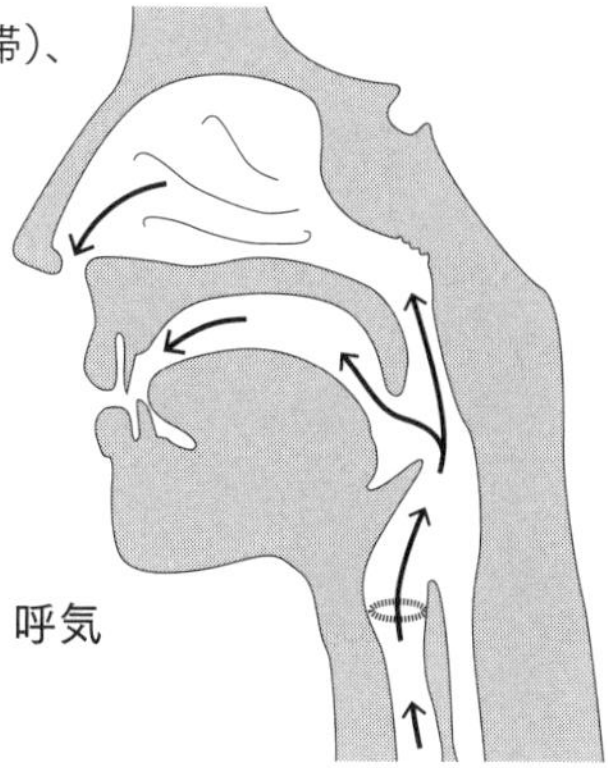

[声道ルート]

喉頭（声帯）、咽頭、口腔、鼻腔

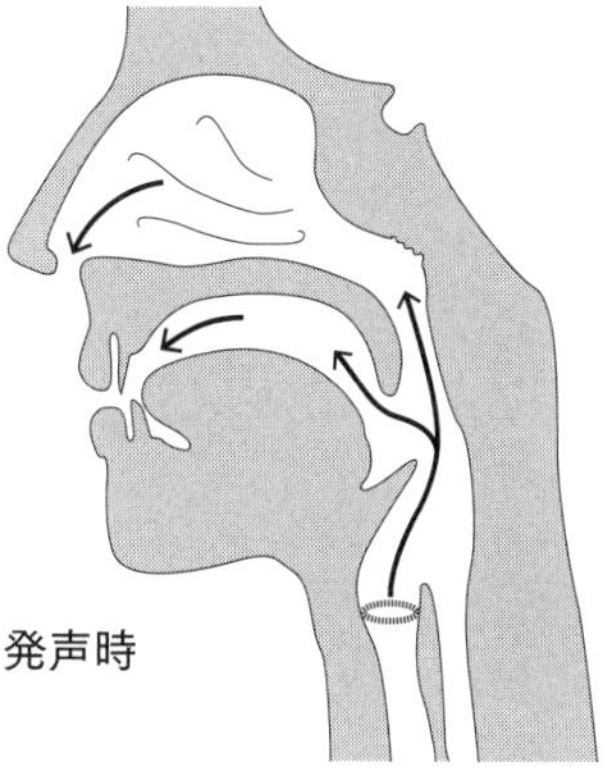

[食道ルート]

口腔、咽頭、食道、胃

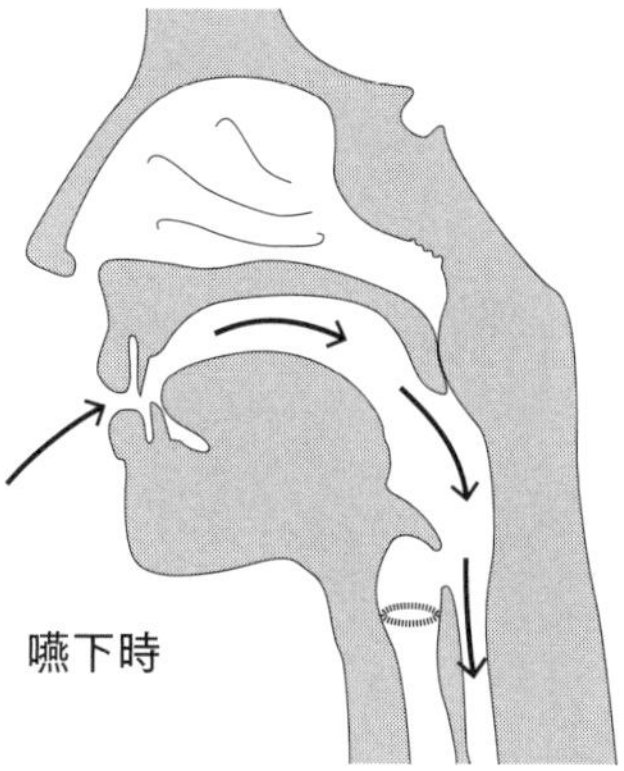

いく上で必要不可欠なものです。声道は気道の一部を借りて、声を出すために使わせてもらっているのです。

生きていくためには息を吸わなければなりませんし、食べるという行為（嚥下）も必要になります。

しかし、これは両者同時にはできません。呼吸をするときは咽頭から喉頭へと息を流すことが必要ですが、食べるとき、すなわち嚥下するときには咽頭から喉頭への通路はきっちり閉めておかないと、食べ物が喉頭から気管に入ってしまいます。いわゆる誤嚥が起こるわけです。ですから、食べることと息を吸うことの切り替えがうまくできないと、生きていく上で支障が生じるわけです。

では、食事をするときにはどうなっているのでしょうか？

口から食べ物が入ってきたときは、喉頭が持ち上がり、舌の付け根にある喉頭蓋という軟骨のふたが後ろへ倒れ、喉頭の入り口をふさぎます。その瞬間、声帯もぴちっと閉じます。食べ物はそのふたの上をすべり、後方の食道の入り口に誘導されていきます。

しかし、声道を使うとき、つまり声を使うときには、この物を食べる際のメカニズムが働いてはいけません。

喉頭蓋というふたは、話したり歌ったりするときにはオープンになっています。声の通る道（声道）は開いていなければ声は出せません。

一方、気道は肺にきれいな空気を入れることを目的とした道です。途中にたまたま食道があるので、食事をするときには声帯は閉じて、飲食物が入らないようになっています。

整理をすると、それぞれの経路は以下のようになります。

- 飲食物の通る道は、口腔 ↓ 咽頭 ↓ 食道 ↓ 胃
- 呼吸をするための道は、鼻腔・口腔 ⇅ 咽頭 ⇅ 喉頭 ⇅ 気管 ⇅ 気管支 ⇅ 肺
- 発声をするための道は、肺 ↓ 気管支 ↓ 気管 ↓ 喉頭 ↓ 咽頭 ↓ 鼻腔・口腔

つまり喉頭には、次のような機能があります。

- たくさんの空気を出し入れできること
- 食べるとき（嚥下時）に異物が気管・肺に入らないような防御装置があること
- 声のもととなる音源（喉頭原音）をつくること

喉頭がこうした大切な役割をしていることをぜひ知っておいてください。

気道のケアをしましょう

前項の説明でおわかりいただけたかと思いますが、呼吸をするための道である気道としての働きが充分に行われないと、声道にもいろいろな影響が出てきます。ですから、声を出すためには気道のケアをすることが必要になります。ケアをする方法には次のようにいくつかのものがあります。

●うがい

うがいは気道をきれいにするためのものです。うがいは少なくとも3回すると、口腔・咽頭の中にある細菌が除かれてきれいになると言います。

よく、声帯のぎりぎりまで水を入れてうがいをするのがよいとする人がいます。しかし、そうすると何かのはずみで誤嚥して気管に水が入ってしまうので、非常に危険です。特に歌をうたう仕事の人は声帯ぎりぎりまでうがいをすることが多いようですが、それは避けるべきです。気管に水が入って肺炎にでもなったら大変です。

●吸入・ネブライザー

私の子どもの頃は、吸入と言えば「蒸気吸入（スチーム吸入）」のことで、家庭内に常置しているのが当たり前で、風邪の時期には必ず親から強要されてやったものです。

今では、吸入器と言えば喘息をコントロールするためのもので、ネブライザー吸入器として普及しています。ジェット式、超音波式、メッシュ式などいろいろな種類があるようですが、要は噴霧溶液を5ミクロン以下に細粒化して噴霧することで、より遠隔臓器にまで薬剤を散布できるようにしたものです。治療のためだけでなく、耳鼻科では鼻腔を含めて上気道の感染予防の目的でも使用することがあります。また、スチーム吸入は喉だけでなく、鼻腔では花粉症の予防や治療、また上気道の乾燥の解消に役立つので、感染症の予防、粘膜からの分泌が少なくなった年齢層の方などには役に立つものとなっています。

●マスクの効用

マスクは、花粉症や黄砂などに対してはある程度の効用があると思いますが、細菌やウイルスなどの感染症対策には期待が持てません。それよりも、自身に気道感染の疑いがあれば、他人にうつさないために、マスクは着用すべきです。

●トローチ

トローチの服用も効果的です。ただし、糖分が入っているもので1日3、4粒にしておきたいところです。最近はぬめりのあるトローチもあり、なめてみて自分の喉に合うものを選びましょう。ハッカ（メントール）の入った刺激のあるトローチは喉にはあまり良くありません。

のど飴の好みは人によって違いますが、刺激のないもので、なるべく喉が潤うようなものを選んでください。声のためのトローチの目的は潤いです。基本的には水分補給が大切ですが、特に劇場など水が飲めないような場合はのど飴が必需品になります。

●頸部（首）の保温

気道に直接関係はありませんが、頸部の保護、特に保温も重要です。首というのはとても血管の多いところで、心臓から頸動脈に入って、顔や頭へと至る血管が走っている大切な部位です。首の筋肉が冷えることで、血管が収縮して血液の流れが悪くなると、声帯と声道にも影響するので、首を冷やさないことは大原則です。

寝るときにも、暑いときは首にタオル、寒いときはマフラーなどを巻いて温かくし、冷やさないように保温することを心がけてください。よく風邪を引くという人は、タオルを首に巻き、さらにマスクをして寝ると風邪を引きにくいと言います。

私たちが患者さんを診るときには、必ず首を触診します。その際、手のひらで皮膚温を診ると、冷たいところと温かいところがある場合があります。体調の良いときは首全体が温かくなっていますが、調子がおかしいときは首の一部が冷たくなっていたりします。首のまわりの循環が悪いとこんな現象が起こるのかと考え、そういうときには、喉頭をマッサージするようにしています。

●鼻腔のケア

気道（声道）には鼻腔へ抜けるルートもあります。ですから、気道のケアを考えるときには、鼻腔のことも考える必要があります。

鼻はいつもきれいに通っていることが前提です。鼻に空気が流れることによって、鼻本来の機能である換気や、空気に適当な湿度と温度を与えるという機能を充分に果たすことができます。生まれつき鼻の通りが悪い人もいますが、特に歌をうたう人にとっては鼻がスムーズに通っていることが基本になります。

鼻に冷たい空気が入ってくると、鼻の甲介という粘膜が腫れて空気の通る道を狭くして空気を温めます。乾燥した空気が入ってくれば、空気を潤すために鼻水が出てきます。また、ほこりが入らないようにするための防塵作用もあります。要するに、肺にきれいな空気（息）を送るための大事な気道ですから、鼻からの呼吸は大切だということを知っておいてください。

しかし、特にアレルギー性鼻炎などがあると、鼻の換気装置の働きが悪くなり、鼻が詰まったりして歌うことに問題が出てきます。歌う際に声帯から出た声に音色や響きをつけるということは、咽頭、口腔共鳴と鼻の中の鼻腔共鳴が一体になってできることですから、鼻のケアも非常に重要になります。

鼻のケアとしての注意点があるとすれば、過度に鼻毛を取らないようにすることです。鼻毛はフィルターの役割を果たしており、異物が入ってくるのを防いでいるからです。また、鼻毛を取るため以外に、鼻の中を触らないようにすることも大事です。鼻に綿棒を入れて掃除をする人がいますが、粘膜を傷つけて炎症を起こしたり、出血させることがあるので感心しません。私の外来診療では、メントール軟膏を鼻の入り口に塗布する処置をしていました。

いずれにしても、鼻が通るようになると、鼻腔共鳴が可能になります。患者さんで発声指導の先生から「ハミングが下手だ」と言われて来た人を診ると、鼻中隔が少し彎曲している、または鼻腔の中甲介が腫れているために空気が流れていかない状態という場合が多いです。鼻が詰まるという自覚症状がなくても、ハミングができないという人は、臨床音声専門医に総合的にチェックしておいてもらったほうがよいと思います。

●風邪対策

風邪は上咽頭から始まって、それがだんだんと下のほうへ移っていきます。つばを飲むと喉が痛いとか、喉の奥の突き当たりがイガイガするという症状がまず起こります。そういうときには上咽頭に薬を塗ったり、鼻洗浄器で鼻腔、上咽頭を洗い流します。早い時期であれば、これだけで風邪症状はなくなります。

いずれにしても、特に声を出す仕事の人は、声帯より上の部分の上気道をなるべく傷めないようにすることが大切です。上気道を傷めることは、声道を傷めることにつながります。声帯でいくら頑張って声を出しても、声道が良い状態でなければ良い声は出ません。そのため、風邪などでは早めに対策を立て、気道のケアを充分に行ってほしいと思います。

長引く上気道炎は、下気道（気管）に入って咳や痰のトラブルが出ます。咳は声帯に悪い影響を及ぼすので、早めに、少なくとも1週間以内には治すようにしたいものです。かなりひどい場合には、呼吸器専門の内科医のお世話になることです。

薬剤の声などへの影響を知っておきましょう

薬剤が喉や声などに悪影響を与える場合もあります。したがって処方される薬剤についての知識を持つことが必要です。特に、副作用についての説明は充分に受けて、納得して処方薬を使う必要があります。

また処方箋のうちでも、抗生物質（抗菌剤）、副腎皮質ホルモン（ステロイド）、抗アレルギー剤、点鼻薬などについては、常識として以下のことは覚えておいてほしいと思います。

抗生物質は血中濃度を保っておくことが重要です。たとえば1日3回食後に服用するように指示されることがありますが、胃腸障害という副作用が強く出る場合、また、夜間の睡眠の妨げになる場合のことを考慮して指示されることがあります。しかし、できるだけ血中濃度のことを考えて、1日3回は8時間間隔で服用してほしいです。

副腎皮質ホルモンはステロイドと言い、基本的には緊急時に使用することで素晴らしい効果の出る薬剤で、声のプロもときどき使います。自分の声を守るためといって、遠征公演などに行く際、ステロイド薬剤をたくさん処方してもらい、自分の判断で頻繁に服用する声のプロを見ますが、これは危険です。薬というものは、よく効く薬ほど、その逆にリバウンドした結果のことを考えておく必要があります。

特にステロイドは諸刃の剣です。長期間服用することで、声帯の持久力が落ちてしまった、声域が狭くなって柔らかい声が出なくなったと訴えていた人もいました。それまで柔らかかった結節が硬くなってしまったなど、物性の変化を起こしてしまうケースも経験したことがあります。これには明らかなエビデンスはありませんが、臨床実施現場でときどき遭遇することがあります。

服用することをためらうことはありませんが、以下のことだけは頭の中に入れて使ってもらいたいです。

- やはり服用の際には、医師の説明をきっちり納得するまで聴く。
- 長期間、だらだらと使用しない。
- 服用の前後は必ず医師の診察を受け、薬剤の効果の有無を確認する。
- 自分の判断で服用しない。

その他にもいろいろなホルモン剤はありますが、効能だけでなく副作用のことも知っておくことが必要です。

私が医師となって学会発表をした最初のタイトルが、「蛋白同化ホルモンの男性化音声」でした。当時女性コーラスをしていた数人が「ある産婦人科医から処方された薬剤を服用して、声に変化が出てきた」というものでした。音声検査をして、声帯には異常がないものの、声域が男性の声域に下降していました。それで「男性化音声」と名づけたのです。結論として、コーラスの皆さんが使用している「蛋白同化ホルモン」のためではないか（添付書を見ても副作用にはない）という趣旨の結論を発表したのを思い出します。

また、副腎皮質ホルモン剤の「吸入ステロイド」が喘息、咳喘息などでよく使われていますが、声に変化を来す患者さんがたまにいます。この薬剤の副作用として知られているものに、「咽喉頭カンジダ症」といって、真菌によって引き起こされる感染症があります。口腔、咽頭を見て白斑がところどころに見られる場合は、本症と思ってよいでしょう。

長期間吸入ステロイドを使用した場合に、喉の異常、違和感などがあったら、すぐに耳鼻咽喉科で喉の検査をしてほしいです。声にトラブルを来しても、すみやかに中止すれば治ります。吸入後は毎回うがいをすることが大切で、これによってある程度予防できます。

抗アレルギー剤は、花粉症などアレルギー疾患には欠かせない薬剤ですが、その副作用についても知っておいてもらいたいことがあります。

大きな副作用として、眠気、口内乾燥感があります。声のプロにとって、喉の乾燥は発声に大きく影響します。車にたとえるならば、エンジンオイルと同様で、これがないとオーバーヒートして、車は動かなくなってしまいます。声帯も、声帯粘膜の表面に、オイルの役割をする粘液という潤滑液があるから、機能を発揮してくれるのです。特に、抗ヒスタミン剤では粘液分泌が減少してしまうことを知っておいてもらいたいです。

最近の抗アレルギー剤は、その副作用の点で改良され、以前に比べるとかなり副作用の出現が少なくなったと言います。いずれにせよ、自分の身体に合う薬剤を日頃から試して、決めておくことも大切です。

鼻詰まりでよく使用される薬に点鼻薬があります。血管収縮剤の入っている点鼻薬は、鼻詰まりの患者さんには即効するということで人気のあるものでしたが、長期使用によりリバウンド現象があることがわかり、現在はあまり使用されなくなりました。しかし、発声するのに困難な状態になったときにだけ、使用することはやぶさかではありません。

いずれにしても、薬を現在飲んでいる人は、お薬手帳も医師にきちんと見せるようにしてください。特に複数の病院にかかっていて、２種類以上の薬を飲んでいる場合には、配合禁忌のこともありますので、担当医と充分相談してください。

妊娠中・生理中のケアもしましょう

女性で歌をうたう方は、生理中や妊娠中のケアについても考えておく必要があります。多くの方が、自分なりの経験や先輩からのアドバイスを参考にケアをしているようです。

妊娠中であれば、つわりのひどい時期やお腹が少し目立つくらいになるまでは、あまりハードに歌わないようにするなど、いろいろなことが言われています。いずれにしても、妊娠中はホルモンバランスが普段とは異なっています。

女性ホルモンには2種類あります。卵巣から分泌される卵胞ホルモン（エストロゲン）と黄体ホルモン（プロゲステロン）です。この2種類の女性ホルモンは約1か月で変動し、排卵や月経を起こし、もちろん妊娠・出産にも深く関係しています。

妊娠すると、卵胞ホルモンの分泌量は下がってきて、黄体ホルモンが主体になっていきます。以前から、卵胞ホルモンが減ってくると声帯に影響が出ることがわかっていました。

卵胞ホルモンには筋肉活性を高める働きがあります。詳しく言うと、筋肉のタンパクを合成する働きを活発にするのです。妊娠すると卵胞ホルモンが減少してくるのは、お腹の赤ちゃんに筋肉の働きで負担をかけないようにするためです。したがって、妊娠中は筋肉の働きが落ちてくるので、あまり声を出さないほうがよいということになります。声帯も筋肉でできていますし、腹筋も使いにくくなるからです。

私は以前、音楽大学に講義に行っているときに、学生たちに「生理と声」の関係についてアンケートを取ったことがあります。「生理の前後で声は変化しますか？」と尋ねたところ、7％の人が「変化する」という結果でした。

つまり、声帯に変化が出てくるわけで、その中には具体的に「少し声帯がむくんでくる感じがある」「声がだぶついてくる」といった回答がありました。これも卵胞ホルモン減少の影響だと考えられます。

生理直前に「声帯出血」をする歌手の方がときどきおられますが、アンケート回答にあったように、声帯のむくみ（浮腫）が起こりやすい人は出血に注意をすることです。

加齢と声の関係について知っておきましょう

人の声は、生まれてから高齢になるまで少しずつ、身体もそうであるように、変化が起こります。ここでは、年齢の変遷とともに起こる声の生理的現象をご紹介しましょう。

まず新生児期です。生まれたての赤ちゃんは、思い切り大きな声を上げて誕生してきます。「あんな大きな声を張り上げても、音声障害が出ないのはなぜだろう?」などと、若い頃は考えた時期もありました。

生まれたての赤ちゃんは、座ったり立ったりできるようになるまでは、鼻呼吸が主体なのです。鼻腔から喉頭までが接近しているため、口(口腔)からより鼻からのほうが息が入りやすいということです。口腔側から息が出てくるのは、大きく泣くときだけです。

鼻から充分に息が入るから、横隔膜が反応しやすく、いわゆる腹式呼吸になっているのだと言う人もいます。赤ちゃんが裸で泣いているのを見ると、確かにお腹と呼吸が連動しているのがわかります。

これが1年もして歩けるようになると、立つことによって喉頭の位置が下がって、口呼吸ができるようになり、呼吸も胸式呼吸になってしまいます。

小学校に入ると学童期になりますが、小学校の学校検診でときどき「学童嗄声」が見つかります。所見的には、先天性の声帯萎縮がある子が、友達と大きな声を出し合う頻度が高くなると、そこに結節ができてしまうというものです。

これは「小児結節」とも言われ、声もかれてしまって歌えなくなるため、親御さんから「音楽の授業が受けられないのですが、どうしたらいいでしょう？」といった相談をされることがあります。

小学校低学年の頃には、子どもによっては思い切り大きな声で叫ぶようにしゃべる子もいます。これでは、声帯萎縮でなくとも声帯は傷みます。治療は、昔は手術もしましたが、今はほとんど音声治療、あるいは音声指導などで治る場合が多いです。やはり皆さん、胸式呼吸になっていることからも、無理な発声で喉を傷めてしまいやすいのだと思います。

小学校高学年から中学生になると、〝声変わり〟が男子生徒に多く見られます。いわゆる変声期です。

これも成長過程の1つの生理現象で、第2次性徴によって喉頭が大きくなり、声帯も大きくなるため、大人の声のようになる現象で、女子生徒にも軽い声の変化はあります。

普通2、3か月から6か月くらいで大人の声に移行して安定しますが、稀に長引いてしまうことがあります。声が裏返ったり、子どもの高い声が出たりする中で、たまに大人の声が出るという症状により、思春期ということもあって、情緒不安定になる生徒もいるので要注意です。まわりの人たちが温かい目で見守ってあげることが大切です。音声訓練などによって改善することが多いので、耳鼻咽喉科の医師に相談することです。

この次に起こってくる声の変化は、更年期です。女性の場合はホルモン低下による影響が多いのですが、いちばん困るのは声帯の周辺部からの分泌機能が抑制され、潤いがなくなることです。ホルモンの補充療法などを試みた報告もありましたが、あまり効果がなかったようです。そして最後にやってくるシルバーボイス。第1章でも書いたように、磨けば光輝く可能性が充分あることを信じて、前に進むことです。

人が生きて社会生活を送るために、大切なコミュニケーションとして、〝声〟のことを考えることは大切です。年齢とともに声の変遷があることも、生理的変化によって声に変化が起こることも、声をケアする上で知っておくべき大切なことです。

喉の渇きに対するケアをしましょう

「喉が渇いて声が出しにくい」と訴える方に若い人は少ないです。上気道炎を起こしたり、風邪などを引いた後には、そんな訴えをする人もいますが、やはり高齢の方に多く見られます。前項で説明した更年期の喉の渇きがいちばん多いのですが、歌いすぎ、しゃべりすぎでも起こりますし、ストレスがかかったときでもなります。また、薬剤の影響も考えたほうがいいでしょう。

こうした場合、その状況に合わせた対応策は考えるのですが、まず水分を摂ることです。身体の水分が減れば、唾液も含めて粘膜からの分泌量も減ります。一般には１日１リットル～１・５リットルの摂水が望ましいと言われています。

講演会などで壇上に上がると、机の上に水さしとコップが置いてあります。しゃべっている途中、喉を潤したいときには、確かに一口水を飲むのは効果があるようですが、高齢になると、水を飲むとむせてしまうことがあるので要注意です。

また、歌う人の中には、特に高齢の方で、途中で水を飲むと口の中のぬめりがなくなって、カサカサしてきて歌いにくくなると訴える人もいます。

あるとき、高齢のシャンソン歌手の方が教えてくれたのですが、舞台に上がったときに水分補給をしたいのであれば、蜂蜜をお湯に溶かしてボトルに入れ、それをときどき飲むと歌いやすいということでした。

かつては舞台に立ったら歌い終わるまで、水分補給をしないのが当たり前でした。その日の体調によって水分補給を大なり小なり必要とするならば、何を飲むか（たとえば、前出のシャンソン歌手の蜂蜜湯など）、どのタイミングで飲むかなど、いろいろなことを試しておくことも大切ではないかと思っています。

悪い体調のときでも、できるだけ条件を揃えて舞台に立つことが、声のトラブル予防にもつながります。

以前は、放射線治療中に使う人工唾液を、舞台に上がるときに使用することもありましたが、日本人の体質に合わないのか、外国ではよく使われているのに、日本では使う希望者が少ないようです。

ぜひとも何の違和感も感じさせない人工唾液を開発していただければ嬉しいのですが……。

食事による声への影響について知っておきましょう

食事による声への影響についても考えてみましょう。

まず歌う前にたくさん食べないというのは常識です。ただし、人前で歌ったりしゃべったりする声のプロたちは、アスリート並みに筋肉を使うわけですから、栄養価の高いものを少しだけ摂るエネルギー補給も必要です。

食べるものとしては、当たり前ですが、消化のよいもの、カロリーの高いもの、甘いものはあまり制限せずに食べてもよいと思います。

普段の食生活については、良い声を守るためには、腸内環境を良くするような食べ物を心がけて食べる必要があります。

特に、便秘をしないように気をつけなければなりません。便秘になると、満腹時の胃と同様、腸内内容物の増加によって横隔膜の動きが制限されてしまいます。

そのためにも、声のプロにとっては、便秘にならないように腸のケアは大切です。

医学的に言うと、胃の中に送られてきた食物すべてが、胃から十二指腸に行って胃が空っぽになるのに3～4時間はかかります。

胃の中で消化酵素以外に食べ物の腐敗を防ぐ塩酸、それと胃粘膜を保護する胃液がお互いに働いて消化するわけです。

特に、胃液の分泌には自律神経が大きく関係していて、ストレスがかかって交感神経の働きが優位になると、胃液の分泌が抑えられ、胃酸（塩酸）が多く出るので要注意です。

さらに、声にとっていちばん問題になるのは、逆流性食道炎です。

胃液が上がってきて、喉頭の被裂部まで来てしまうと声に悪影響を与えます。胃酸による咽頭の炎症によって分泌物が増えたり、分泌物が粘状になるので痰がからんだりすることもあります。

寝る3時間前からはものを食べないようにすることも、逆流性食道炎にならないための予防法の1つです

睡眠・入浴の習慣に気をつかいましょう

私たちが日頃、当たり前のようにやっている食事、睡眠、入浴ですが、健康を維持するためには大切なことなので、前項から続いてこのことにも目を向けてみましょう。

睡眠というのは、科学的根拠を云々するより前に、私は「眠くなったら眠る」ということを基本として考えています。恐らく皆さんもそう思っているでしょうが、実際に仕事が始まったら、そんな〝ずぼら〟は許されませんよね。それでもです。「短時間でもいいから眠る！」。そんな〝癖（習慣）〟を持つことです。電車の中で目をつぶって、瞬間すーっと眠る。そうすると、その後は頭がスカーッとする経験をお持ちの方もいると思います。

どこででもすぐに、たとえ2分、3分でも10分でもいいので、目をつぶって眠る。これも健康維持の1つの方法で、忙しい人ほどそんな〝癖〟を身につけてもらいたいものです。「横にならないと眠れない」という人もいますが、座っても短時間なら眠れます。それができる人はいつも元気です。

本格的な夜間の睡眠では、寝るための環境整備、つまり温度、湿度、明るさ、空気の流れ、そして寝具にまで気をつかうことです。前述のように、部屋の温度はだいたい22℃前後で、湿度は55~60%。そして、空気は動かさないようにしましょう（扇風機などの人工的送風はしないようにする）。

さらにもう1点気をつけることは、〝いびき〟です。1人で寝ている分には支障はないのですが、2人以上で寝ていると他の人に迷惑がかかります。その場合は「うるさい」と指摘されるのでわかるからいいのですが、1人の場合、ひどい〝いびき〟は「睡眠時無呼吸症候群」に移行していくことがあるので要注意です。朝、目が覚めたら「喉が痛い」などの初発症状が出て、いつも睡眠不足のような感じがあれば、かかりつけ医に早く相談したほうがよいでしょう。

入浴も大切です。お風呂に入るときは、「できるだけシャワーだけでなく、湯船に肩までつかってください」と声の患者さんに対する生活指導では言っています。少しぬるま湯（40~41℃）に首までどっぷり浸って、10~15分は温まりましょう。気持ち良くなると眠くなるので、高齢の方は、眠くなったらすぐに湯船から出るようにしてください。お風呂の中でのアクシデントもときどきあるので要注意です。

夜間になっての入浴は、できるだけ食前がいいです。食後は2~3時間、できれば4時間は時間を空けて、胃の中が空っぽになってから睡眠に入るのが理想的です。

タバコの声への悪影響を理解しましょう

嗜好品について強調しておかなければならないのは、タバコの害です。声を商売道具にしている人にとって、喫煙は最大の敵です。

かつては男性の喫煙率が80％ほどあった時代もありました。しかし、今は喫煙率はどんどん減ってきています。これはとても望ましいことだと思います。

ＪＴの全国喫煙者調査によると、２０１８年の成人男性の喫煙率は27・８％でした。ピーク時（１９６６年）の83・７％と比べて大幅に減ったことになります。

成人男性の喫煙率は減り続けていますが、それでも諸外国と比べるといまだに高い状況にあります。

一方、成人女性の平均喫煙率は８・７％と男性に比べればかなり少ないものの、ピーク時からほとんど変わっていません。

タバコを吸っていると声が傷みやすいということは間違いありません。喫煙者の多くは話声位が低くなっていく傾向にあります。

声帯を診ると、声帯全体がポリープのような像として捉えられることから、「ポリープ様声帯」という病名がついているものがあり、これはタバコを吸う人に多い病気です。若い頃、一杯飲み屋さんにダミ声で男性のような声のおかみさんがいましたが、この病気の共通した声なので、聴いただけでわかります。

声を使う人でタバコを吸うというのは問題外です。もしタバコを吸う人が声の問題を訴えて治療に来られたとしたら、私は「タバコをやめる決心がついたら治療を始めましょう」と冗談半分に言うでしょう。

そのくらいタバコは百害あって一利なしです。声域は狭くなりますし、呼吸がしにくくなり、場合によっては呼吸困難を起こして救急車を呼ぶケースもあります。

喉頭がんとの因果関係もはっきりしているだけに、タバコは吸わないことです。特に歌をうたう人は、受動喫煙などの煙害についても気をつけたいものです。

音声疲労の予防を心がけましょう

私たちは、身体を使って筋肉が疲れたということを「疲労」と言います。それが声に起こってくるのが「音声疲労」です。

歌でもしゃべりでも、ずっと声を出し続けていると、声がだんだんとカスカスになってきます。最初は乾燥したような感じになり、やがて痛みも出てきます。そして、声がおかしくなってきて、声のコントロールがうまくいかなくなってきます。こうした症状が出てきたら「音声疲労」と診断してもよいでしょう。

正常な声帯であっても、ある程度使っていると声が疲れてきます。声帯は２㎝足らずの小さな筋肉ですから、やはり使いすぎると疲労します。

２時間、３時間も使い続けていて、正常な状態でいることは難しいと言えます。しかし、実際問題として、舞台役者やオペラをやる人は２～３時間は声を出し続けているわけですから、音声疲労にどう対処するかは非常に重要な問題になってきます。

音声疲労を起こす原因として、声を使っている環境が悪い場合もありますし、指導者によって発声が変わっておかしくなったという人もいます。要は、自分の発声方法に問題があるかどうかです。

米山文明先生という音声生理学の第一人者がいらっしゃいました。もう亡くなられましたが、声楽家などを50年以上にわたって診てきた先生で、私もずいぶん米山先生の本を読んで勉強したものです。

米山先生は、声を出すのは1日に3時間が限度で、それ以上出すと音声疲労の状態になると強調していました。ピッチコントロールができなくなったり、音域が狭くなったり、歌っていると喉に違和感が出たり痛くなったりするということです。

つまり歌うのは1日3時間以下にすることが大事です。だいたい20～30分歌ったら5～10分休む。そして、トータルで3時間くらいにとどめるのがよいでしょう。

何はともあれ、この5分でも10分でも休憩を入れることが大切で、それが音声疲労を予防する唯一の方法だと言われています。

特に音声疲労になりやすいのは学校の先生です。

先生たちがなぜ疲労しやすいのかですが、私が調べたところでは、1日中しゃべり続ける、早口でしゃべって、息を吸う時間が足りずに酸欠状態になる、さらに追い打ちをかけるようにしゃべる、そしてそのストレスが溜まる。その繰り返しによって声帯も疲れてきて、活性酸素も蓄積して、疲れが炎症に変化してしまうのです。これが学校の先生に喉を傷める人が多いことの1つの原因だと考えています。

しゃべるときには、呼吸を意識してゆっくりしゃべることが大切です。最も良くないのは急に大きな声を出すことです。そして、力んでしゃべることです。さらに、90分の授業であれば、90分間ずっとしゃべり続け、その間に水分を摂らないのも良くありません。

また、姿勢の問題もあります。机に手をついて前のめりの姿勢でしゃべるのは問題です。胸に力が入って胸式呼吸になってしまうからです。

特に、男性に比べて、女性は胸式呼吸の人が多いように感じます。妊娠すると胸式呼吸になるからだという指摘もありますが、いずれにしても、胸式呼吸で良くないしゃべり方をしているとすぐに声帯を傷めてしまいます。

腹式呼吸をしていると、たくさんの息をゆっくり入れることができるので、声帯の反応が良くなります。ですから、声のトラブルで来院する教師の方には、まず腹式呼吸の訓練をしてもらいます。これが音声疲労の予防につながるトラブル防止の基本と考えています

誰でも嫌な声を聞いていると嫌な気持ちになります。嫌な声で叱られたら言い返したくなる

のも当然です。教師自身が声を出しやすくなれば、イライラしなくなりますし、授業をするときの態度も変わってくるでしょう。気持ち良く授業ができて、それが生徒たちにも伝わっていくはずです。

呼吸の力というのはすごいものだと改めて思います。声を傷めた人に呼吸の仕方を指導すると、声に対する考え方が劇的に変わってくることは経験的にも確かです。

授業をしていて腹が立ったら、板書をしながら息を大きく3秒間吸って、そしてすーっと長く7秒以上吐く。それを2、3回繰り返すと、徐々に頭が冴えてきます。それによって生徒とのコミュニケーションも良くなるのです。

こんなエピソードがあります。ある小学校の先生が自分が習得した腹式呼吸を授業のたびに生徒に教え、みんなができたところで一緒に歌う試みをしたそうです。その頃から生徒たちの態度がガラッと変わって、楽しく授業ができるようになったそうです。こうした嬉しいお手紙をもらったことがあります。

発声の前に「呼吸（法）」について考えましょう

前述したように、呼吸の様式には2つあって、1つは胸式呼吸、1つは腹式呼吸です。次ページの図のように、人の躯幹（胴体）には胸腔、腹腔、骨盤腔があります。そして胸腔、腹腔は横隔膜という分厚い筋肉で仕切られています。腹腔と骨盤腔には明らかな仕切りはありませんが、骨盤腔は尾骨、寛骨、仙骨という骨で囲まれています。

胸腔は、後ろに背骨（脊柱）、前に胸骨と肋骨で胸郭というものをつくり、胸腔を取り囲んでいます。一方、腹腔には骨がありません。その代わりに、腹筋という強靭な筋肉が、背筋とともに取り囲んでいます。

腹腔だけがなぜ骨に囲まれていないのかは、皆さんご存知だと思いますが、骨盤腔内の子宮の中で赤ちゃんが育っていって大きくなるとともに、そこではおさまり切れずに、腹腔内でのびのびと成長するために、邪魔な骨の代わりに筋肉のしなやかさ、強さで保護しているのです。

この腹腔の筋肉、つまり腹筋がどれだけ強い力で保護しているかは、腹筋を鍛え上げているボクシング選手を見ればわかると思います。彼らは強いボディブローを何回打たれても、内臓

胸腔・腹腔・骨盤腔

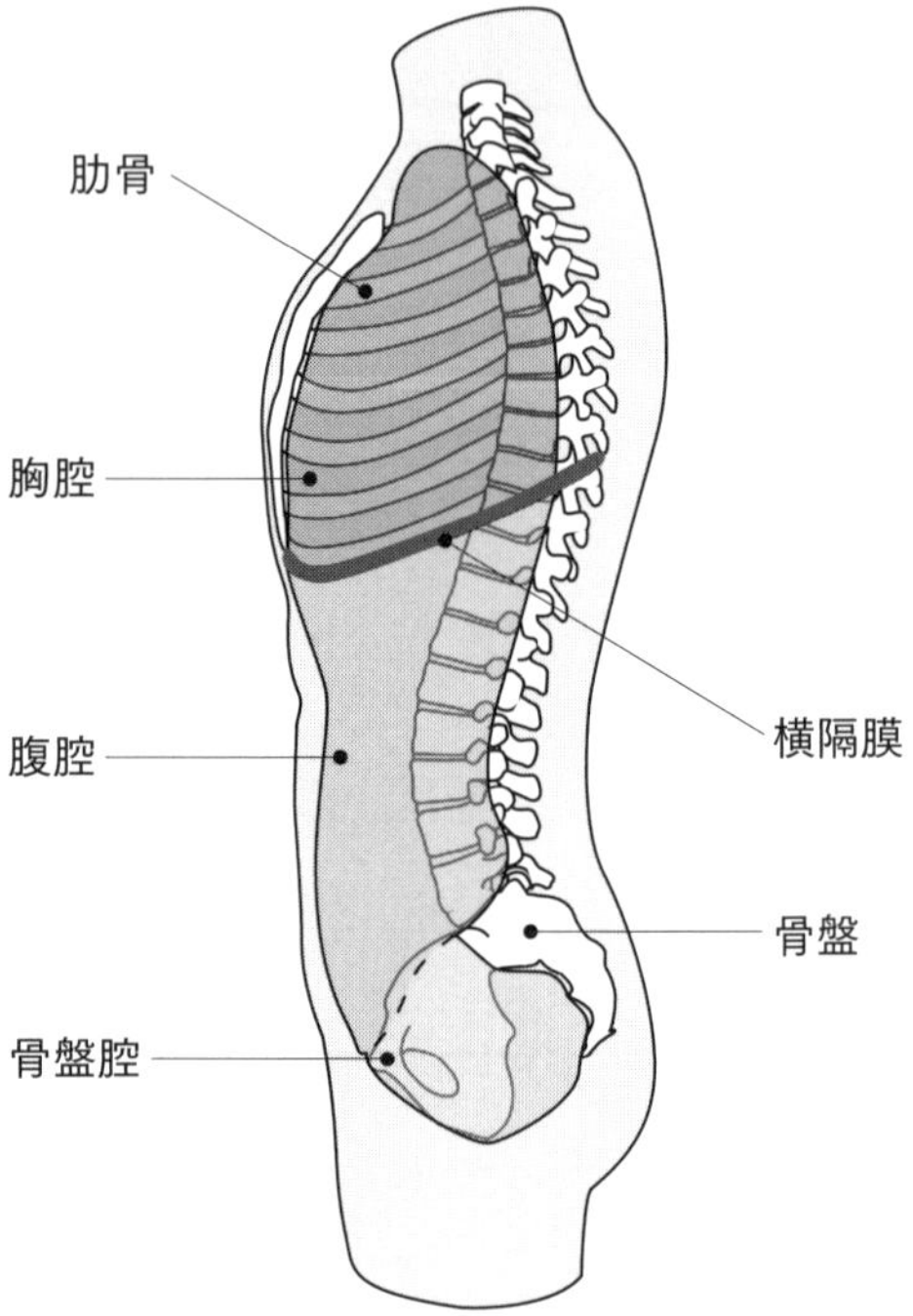

破裂が起こることはありません。腹筋というのは、自分の意識、無意識下においてディフェンス(defense)機能、防御反射機能があり、それはまた、訓練によって亢進するのです。

たとえば、病院でのお腹の診察で、仰向けに寝た患者さんに、医師は決まって「両膝を立ててください」と言います。それは、仰向けで足を伸ばしてお腹を触っても、この防御反応が出て、勝手に腹筋が硬くなるため、腹部の内臓の触診ができないからです。ですから余談ながら、昔の武士の割腹というのは、さぞや大変だったのではないかなどと思ったりします。

話を呼吸に戻します。腹式呼吸というのは、横隔膜を下げて行います。横隔膜は、吸気に関係する筋肉で、息を吸おうと思ったときに働いてくれます。下げていくと腹腔内圧が大きくなります。ただし、腹筋をゆるめていないと、お腹は膨らみません。そして、息を出すときには、膨らんだお腹を、腹筋を使ってしぼめていけば、自然と横隔膜が上がっていきます。

このように、横隔膜を働かせる呼吸法を腹式呼吸と呼んでいます。しかし、ただ単に「腹式呼吸をしなさい」ということで、呼吸をするときに横隔膜が連動して動いているだけの腹式呼吸では、パワーのある声にはつながりません。つまり、舞台で歌をうたうとか、しっかりした声でセリフを言うときは、この呼吸だけでは難しいと言えます。

それはどうしてでしょう？　吸気で横隔膜を下方に降ろしていって腹腔内圧を上げていくと、肺はどんどん膨らんでいきます。そして、ある程度のところまでくると、今度は息を出すことになります。そこで腹筋の力が必要になります。

腹式呼吸は横隔膜を中心にした呼吸法ですが、今までお話ししてきた腹筋のパワーに加えて、理想的な声を求めるならば、「呼吸保持」ができるようになって、はじめて腹式呼吸ということができます。呼吸保持は「声の支え」とも言われますが、呼気筋と吸気筋の働きを、発声の構えに入ったときに行う調整機能です。

声のプロにとってここが重要で、さらに難しいところです。言葉で説明するのはなかなか大変ですが、できるだけわかっていただけるように説明していきます。

前述のように、私たちが日常、息を出して吸う安静時呼吸は〝無意識下で行っている呼吸〟です。難しく言えば、脳幹の呼吸中枢がこの呼吸行動を調整しているということです。1回に約500㎖の息が肺に送り込まれ、〝ガス交換〟が行われて私たちは生きているわけです。

しかし、身体を動かすパワーが要求されるときや、声を出すときには、充分な酸素が必要となり、意図的に肺にたくさんの息を入れる必要が出てきます。つまり意識して呼吸をする〝意識呼吸〟が必要で、そのときには呼吸をするために必要な呼吸筋を動員しなければなりません。筋肉を使うためには酸素が必要です。息を吸うための吸気筋が働いて肺に空気を送り、次に今度は息を出すための呼気筋を使ってそれを送り出していくわけです。肺が自分で働いてくれることはないので、呼吸筋が働かざるを得ないのです。

先程も述べた横隔膜という吸気筋を下げると、胸腔内の圧が下がってきて肺は膨らみます(同時に胸郭も広がっています)。肺に目いっぱい息が入ってきて、それ以上吸えなくなると息を止めることになります。そのまま息を止めておくには声帯をしっかり閉じます。

次にゆっくり息を出していく動作、つまり呼気に移る際には、声帯を開かなくてはなりません。しかし、しっかり閉じた声帯を開いた瞬間、無駄な息がどーっと出て呼気はすぐになくなります。自分で試してみればすぐにわかると思います。

それでは、呼気をする際、肺にいっぱい入った息を最初から無駄なく少しずつ出していこうと思ったら、どうしたらよいでしょう？　つまり吸気から呼気への移行をどうするかということです。

息を吸うことで、横隔膜は下がり、胸郭も、もちろん肺も膨らんでいき、さらに腹腔内圧が上昇して腹部も膨らんでくるので、その膨らんだ両者が元に戻ろうとする自然修復（肺の収縮・胸郭修復）を利用するのです。

呼気筋にバトンタッチする前に、まず吸気筋を少しずつゆるめていきながら（息を吸っているイメージを持ちながら）、声門を開けて、ゆっくり少しずつ息を長く出していくことです。

このニュアンスがわかってもらえるでしょうか？

こうした機能を「呼吸保持」と言います。歌唱時には、これができるようになってほしいです。理屈はわかっても、これは訓練しないとなかなかできないことです。腹式呼吸法で、最も大切で最も難しいところだと思います。

このことに関しては、付章の「小文式呼吸訓練法」で説明します。

次に、胸式呼吸について説明していきます。

胸式呼吸は、書いて字の通り胸で呼吸をする様式です。胸に手を置いて口から息を大きく吸うと、上胸（肋骨）が上がり、あごも上がって胸郭が広がります。この状態が胸式呼吸です。

胸郭の上方にある肋骨を広げて大きく息を吸うことは、簡単にできます。簡単にできるだけに、大部分の人たちはこの呼吸で発声しています。急いで走ったり、山に登ったりして酸素不足になったときのハーハーした息、口から早く息を取り込む呼吸がこれです。さしあたり早く息を入れる必要があるときは、この呼吸法を誰でも使っているので、日常的に使う呼吸法ということになります。

しかし、胸式呼吸には欠点があります。それは、深く息が吸えない、息が入らないから発声しても声が続かない、首のまわりに力が入るために声帯を含めた周辺の共鳴・構音器官でも効率のよい機能が発揮できないということです。

そして、胸式呼吸によって、以下のような声のトラブルも起きてきます。
・発声したときに息（呼気）のコントロールができないために、硬い声、金属性の声になる。柔らかい響きのある声が出ない。また、しゃべっても言葉の明瞭度が低い。
・首、肩、そして喉頭のまわりの筋緊張が起こりやすくなるため、過緊張発声になる。

・充分な息（吸気）を摂り入れられないから、発声持続時間が短くなる。フレーズが短くなる。

こうしたことを皆さんご存知だからか、「素晴らしい声で歌いたい」「説得力のあるしっかりした声でしゃべりたい」、そのためには「まず腹式呼吸法を訓練して発声をしたい」という申し出がよくありますが、そうしたときに私はこう言っています。

「胸式呼吸も腹式呼吸も、両方ご自分でできるようになってください。レベルの高い発声は、この両方の呼吸法ができるか、できないかで決まります」

声のトラブルを持ってクリニックに来られたプロの歌手、舞台で演劇されている方に、私は以下のように呼吸のチェックをすることがあります。

「胸式呼吸をしてみてください」

「はい、次は腹式呼吸をしてみてください」

両方ともちゃんとできる人は、声のプロだから１００％だと思っていましたが、実際は60％くらいでしょうか。

ということで、呼吸の訓練では、まず腹式呼吸をきっちり覚えてもらいます。腹式呼吸ができるようになれば、胸式呼吸との違いが何かを自分の感覚で覚えてもらいます。

バルサルバ効果について知っておきましょう

「バルサルバ効果」という言葉を聞いたことがあるでしょうか？　これは、イタリアの解剖学者アントニオ・マリア・バルサルバが唱えた説で、次のようなものです。

「呼吸を止めて声帯を閉じ、力むことで筋緊張（腹筋、直腸筋、声帯）が高まり、腹腔内圧を高め、脊柱、特に腰椎の安定を高めることによって、想像以上の筋力が発揮される現象」

わかりやすく言うと、いわゆる「火事場の馬鹿力」です。日常私たちが排便時、特に排泄困難な状態のときにはこれを使っていますが、実際発声に使うと、下手をすると圧迫起声となってしまうので要注意です（力むときに声帯が強く閉じるために……）。

たとえば、2つのバケツに水をいっぱいに満たし、両手でそれを持ち上げるときには、この「バルサルバ効果」を期待しているはずです。では、歌をうたいながらこの動作をやってみてください。きっと持ち上げる瞬間に声が詰まってしまうと思います。それは、声帯が強く閉鎖しているからです。

「バルサルバ効果」では、声門を強く締めて下半身のパワーを出すために、腹腔内圧も上がっているので、声を出そうと思っても出ないのは当たり前のことです。それを無視して出そうとしたら、排便が思うようにいかないときに出る「ウーッ」「ウーッ」という唸り声になります。しかし、腹式呼吸の訓練によって「呼吸保持」ができるようになれば、たとえ重たいものを両手で持ち上げても、声帯は自由に使えるはずです。

以前、音楽大学に出講していたとき、授業の途中で学生たちに自分の前の長テーブルを両手で持ち上げながら声を出してもらいました。

童謡の４小節をはじめは立ったまま歌ってもらい、次にテーブルを両手で持ち上げて歌ってもらいました。半分以上の生徒が声に変化が出ました。その変化は〝喉の詰まった声〟でした。

そこで「〝声の支え〟を意識して同じことをしてください」と指示すると、詰まった声は半分以下に減りました。

声楽領域では、呼吸保持を「声の支え」という表現を使っているようです。これができないと一人前の歌手と認められません。「呼吸保持」については、付章の「小文式呼吸訓練法」に書いてありますから、参考にしてください。

熟練した歌手は、「バルサルバ効果」で、腹腔内圧を上げて下半身のパワーを上げ、それを発声に利用して素晴らしい歌をうたっているのだと思います。「呼吸保持」を完全に習得することによって、声門の状態をコントロールできれば、この「バルサルバ効果」を利用して、〝詰まった声〟ではなく、素晴らしいパワフルな呼吸を使っての発声ができるようになるのではないでしょうか。

また、使い方によっては声帯を鍛えるための訓練にもなると思いますが、このバルサルバには〝血圧上昇〟といったリスクがあることを頭の中に入れておいたほうがよいでしょう。

人前でしゃべったり、歌ったりする呼吸様式は、実際には胸腹式呼吸、つまり胸式呼吸と腹式呼吸の両方を使って発声しています。

横隔膜関与の呼吸を主とする腹式呼吸法を習得することによって「呼吸保持」の力がついてくれば、この「バルサルバ効果」を上手に使うことで、よりパワフルな呼吸になって素晴らしい声につながっていくと予測できます。

第3章

こんなことをしたら 声を傷めますよ

猫背になっていませんか？

この章では、身体の各部や生活環境など悪い条件のもとで声を使うと、声を傷めてしまうということを説明していきます。悪い条件で声を使うと、どういうことが起こるのか？　つまり、「こんなことをしたら声を傷めますよ」ということです。それをしっかりと予測しながら、声を使うことが大切です。

最初は、姿勢についてです。

あなたは、猫背で歌っているプロの歌手を見たことがあるでしょうか？

そんなシンガーはまずいません。なぜなら猫背では、歌はうたえないからです。それくらい、歌うことにとって姿勢は大切なのです。

前章でもお話したように、現代人はパソコンやスマートフォンなどの影響もあり、うつむいて前かがみの姿勢で過ごすことが多くなり、猫背になっている人が少なくありません。しかし、猫背など姿勢の悪さは健康にも悪影響を与えますし、声のプロにとっては致命的にもなりかねません。

では、なぜ声を使う上で姿勢が大事なのでしょうか？

猫背になると、首が少し前に出る姿勢になります。こうした姿勢は声を出す上でとても不都合なのです。

発声するためには呼吸をしなければなりません。ところが、首が前に出た姿勢だと、胸が圧迫されて肺に息が入りにくくなるのです。息が入らないということは、エネルギー供給源を遮断しているのと同じですから、充分に声を出せない、歌えないということにつながります。

では、声を出すための理想の姿勢とは、どうあるべきでしょうか？

まず、自分が正しい姿勢になっているかどうかをチェックしてみましょう。

壁に背面をつけて立ってみてください。このとき、後頭部、背中（肩甲骨）、臀部、ふくらはぎ、踵が壁にしっかりとついているでしょうか？　身体の緊張をゆるめた状態で、このように立てていれば正しい姿勢になっているということです（次ページ図参照）。

こうして常に正しい姿勢を意識すること、それが声の健康を守る秘訣です。

アメリカの政治家が演説のクオリティを高めるために、ボイストレーニングを導入しているのはよく知られています。日本の政治家の話し方と外国の政治家の演説はまったく違います。

外国では、言葉の使い方やイントネーションなど、すべてに注意を払っています。声をいかに大切にしているかがわかります。その意味では、日本は70～80年は遅れているのではないでしょうか。

特に、大統領のボイストレーニングは「プレジデント・ボイストレーニング」と呼ばれるくらい重視されています。大統領の演説によって、国民はその言葉や声の響きからさまざまなことを感じ、それが人気や支持率を大きく左右します。このプレジデント・ボイストレーニングを取り入れたのは、故J・F・ケネディ元大統領と言われています。

正しい姿勢

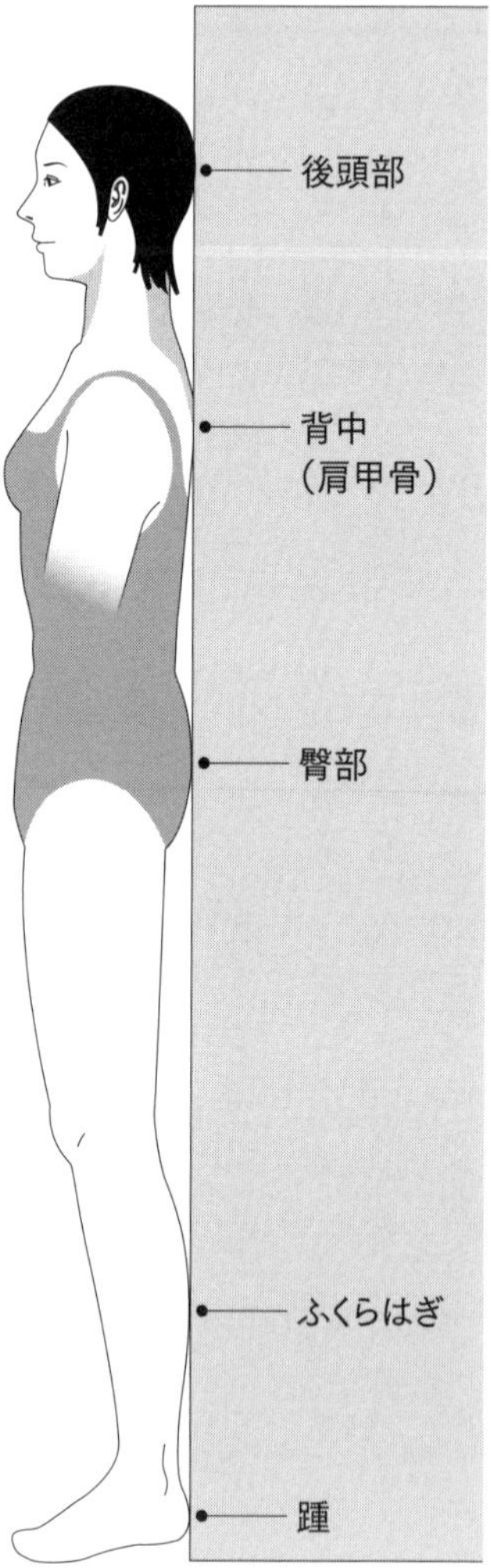

ケネディ元大統領のボイストレーナーは、デビッド・ブレア・マクロスキーという人でした。彼は次のようなことを言っています。

「正しい姿勢が正しい呼吸を生み、正しい呼吸が正しい発声を導く――」

まさにこの言葉通りで、まずは正しい姿勢がなければ正しい呼吸もできないし、発声もできません。

私はマクロスキー氏の声のトレーニングを40年ほど前に実際に見る機会がありました。どういうトレーニングをするかというと、まず正しい姿勢をつくったら顔のマッサージから始めて、上半身の脱力、そして呼吸の訓練をするのです。演説をするために、これだけのことをするのかと本当に驚いたことを覚えています。

この「発声の基本は姿勢と呼吸である」という考え方を知ったことが、私が40年前に音声訓練を始めるきっかけになりました。

発声はまず正しい姿勢から始まる――。このことを肝に銘じていただきたいと思います。

なお、私は患者さんに正しい姿勢と脱力の指導を「小文式呼吸訓練法」（付章）の中で行っています。前著（112ページ〜）にも掲載していますので、参照してみてください。

過緊張になっている身体の部位はありませんか？

姿勢の次にチェックしたいのが、身体のどこかによけいな力が入っていて過緊張になっていないかということです。

まず、身体の各部に緊張があるかどうか、立っているときにどこに力が入っているかをチェックしてみましょう。立位で、一度、全身に力を入れて緊張させてください。次に、脱力させます。このように、緊張と脱力を意識してできるかどうかを確認します。

いつも緊張していては歌えませんし、反対に常に脱力していても歌えません。歌をうたう際には、ある程度の緊張状態が必要です。どこが適度な緊張状態かということを、声を出しながら自分で覚えていく必要があります。

私たちの身体の中でいちばん緊張しやすいのは、肩、首、あごのまわりです。首のまわりや肩甲骨のまわりの筋肉がガチガチにこって、「思うような声が出ない」という患者さんも少なくありません。ここにもパソコンやスマートフォンなどの悪影響があると思います。ぜひ注意してください。

歯の食いしばりの防止法

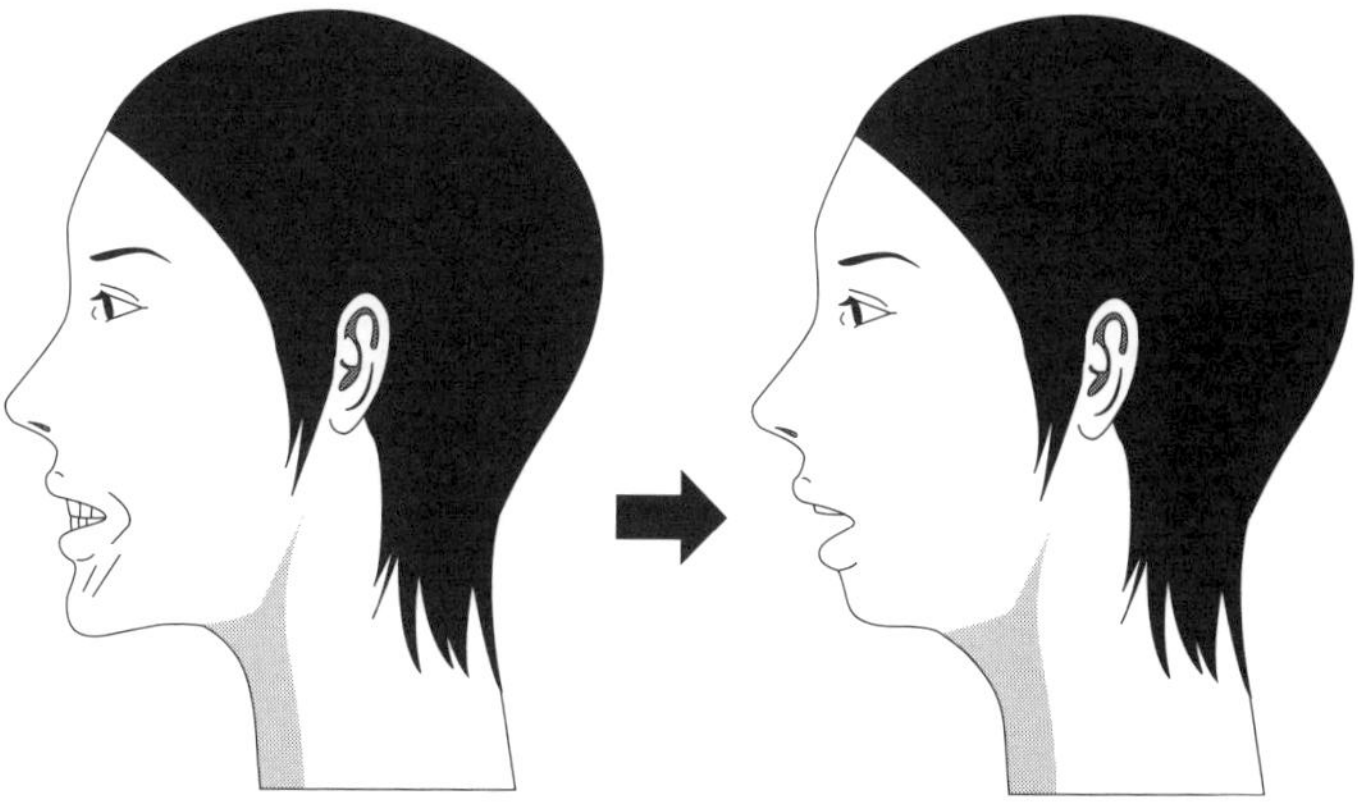

奥歯を噛み締めて
食いしばった状態

口を1㎝くらい開けて
あごを引いて呼吸する状態

他に日常的な注意としては、「歯を食いしばっている状態」（上図左）を続けないことも重要です。これが、頭痛や肩こり、めまい、あごの痛みなどの原因になることも少なくありません。

歯の食いしばりを防ぐには、まずあごの力を抜いて、箸が入るくらいに歯を開いて、あごは引くようにする、すなわち口を１㎝くらい開けます（上図右）。あごを引いて息を吸うのと、普通に息を吸うのとでは息の入り方が違うのがわかります。

あごを引いて息を吸うと、中咽頭（扁桃のある部分）、下咽頭（喉仏の後ろ側の食道の入り口付近）まで開き、スムーズに息が入ります。

歌うときに口を大きく開いていても、喉が狭くなっていては充分に声を出せません。気道が狭くなっていると息が入らないし、声を出しても過緊張の悪い声になります。具体的な場所は、気道の中・下咽頭腔になります。ここは発声をしていく上で、素晴らしい音声と響きをつくる重要な場所でもあります。

喉に無駄な力が入っていて気道が狭くなっていないかを常に自分で意識することで、過緊張は予防できます。

発声と喉の筋肉の関係について、もう1つ知っておいてほしいことがあります。それは、食べ物を嚥下する（飲み込む）ときに働く「喉頭拳上筋」（舌骨上筋）についてです。

つばを飲み込むときに喉仏を触ってみるとわかりますが、つばが喉を通る（嚥下をする）ときには喉頭拳上筋が緊張して喉頭（喉仏）が持ち上がります。これが嚥下のメカニズムでいちばん大切なところで、喉頭拳上筋が働かないと食べ物を誤嚥してしまいます。つまり、誤嚥を防ぐためには喉頭拳上筋を働かせて喉頭を持ち上げ、喉頭蓋で喉頭の入り口に蓋をするということです。こうして意識してつばを飲み込むことは、誤嚥の防止につながるのです。

ところが困ったことに、この喉頭拳上筋が働きすぎると、今度は歌えなくなってしまいます。喉頭拳上筋が働くということは、喉頭が持ち上がって喉が緊張し、声道が狭くなるからです。

前述したように、喉には３つの役割があります。すなわち、息の通り道（気道）、飲食物の通り道（食道）、そして声帯でつくられた声が通る道（声道）です。これらが同じ場所にあることを頭に入れておくことです。

このうち、声を出すことは生きるか死ぬかの問題にはつながりませんが、呼吸をすることと食べることは、人間が生きていく上で最優先にしなければならない大切な機能です。こうした基本を踏まえた上で、声のことも考えていかなければなりません。

喉頭挙上筋が過緊張になると、喉頭が持ち上がります。喉の解剖生理学的に考えると、これは誤嚥を防ぐ上では重要ですが、歌うことに対しては逆の効果になってしまうわけです。

歌うときには、そのことを頭に入れておくことです。

声を出すときに喉頭の位置が高くなる現象を、ボイストレーニングなど発声の専門用語で「ハイラリンクス」（High＝高い Larynx＝喉頭）と言います。喉頭が大きく持ち上がると、一緒に舌の位置も上がって力が入り、共鳴腔が狭くなって声が細くなったり、音色に悪い影響を与えます。歌の上達過程でこの現象が起こりやすいです。

喉に力を入れたり、猫背の姿勢で歌っているとハイラリンクスになりやすいと言われます。また、喉頭が上がる人はそれが癖になっていることが少なくありません。

身体のバランスと重心は保たれていますか？

歌をうたう、講演会でしゃべる、特に立位で声を出す場合には、身体のどこに重心を置いてバランスをとるかが重要になります。立って声を発している場合には、必ず左右いずれかの脚に重心を移して発声しています。時間が長くなっても、絶えず重心を移しているはずです。

かつてこんなことがありました。冬のある日、声楽家（バリトン）の方が「声の調子が悪い」と言ってクリニックにやって来られました。なんと半月前にスキーで転倒して骨折し、片脚にギブスをはめて松葉杖をついて来られました。

診察で声帯を診ると、発声したときに声帯が真ん中に来ないで片寄って見えます。いわゆる「声帯斜位」になっていました。身体のバランスが、松葉杖を使っていることで、重心偏位になって、このような所見になったと判断しました。

そして、音声訓練の身体バランス矯正を行うことで、松葉杖の世話にならなくなる時期にはちゃんと歌えるようになりました。

では、こうならないために、重心はどこに置けばよいのでしょうか？

いちばんわかりやすいのは、「丹田」と言われるところです。東洋では古くから、丹田は人体の中心とされ、気をつくる場所と考えられてきました。

日本では古来から「臍下丹田」と言われており、「丹田呼吸法」と呼ばれるものもあります。臍下丹田とは、ヘソから指を横にして3本分下の位置で、そこから骨盤底筋、仙骨に至るエリアを指しています。半世紀以上前の学生スポーツ界では、「腰が引けている。もっと丹田に力を入れて」とコーチがよく指導していました。

実際に、臍下丹田に意識を持つことで、下腹部のエリアから上にパワーを持っていきやすくなることは確かですし、臍下丹田あたりの胴まわりが、しっかりした土台になって背骨を支えることで、上体にも力が入らず、姿勢もおのずと良くなります。

さらに臍下丹田への意識は、呼吸、発声に関係する骨盤底筋の筋緊張の調整も可能にしてくれます。ポイントは、骨盤底筋を締めることです。

この骨盤底筋の訓練は、「小文式呼吸訓練法」の中でも呼吸の絡みと合わせて行っている大切なもので、習得すれば呼気のパワーアップにつながります（前著『声の悩みを解決する本』の136～141ページにある萩本晋司氏「スポーツトレーナーから見た美声のための身体づくり」を参照してください）。

では、実際にどうするかを説明しましょう。

①まず軽く足踏みをした後に、できるだけ踵を高く上げ、両足ともに親指の先を意識して爪先立ちをします。倒れそうになったら、壁に手をついてもOKです。

②そこから、踵をゆっくり下ろします。何回かこれを繰り返し、爪先立ちをしていくときに、少しずつ骨盤底筋（お尻の穴）を締めていきます。

③骨盤底筋の感覚がわかったら、次は同じ状態で呼吸をします。吸気で横隔膜を下げて広げていきます。続けて呼気では骨盤底筋を締めたままで行います。はじめは吸気、休止、呼気を3秒、2秒、7秒のペースで繰り返します。

「呼吸するときに骨盤底筋を意識して！」と言われる声楽家もいますが、腹圧がかかっても腹腔の底辺がゆるまないようにするには、両足親指の爪先で立って呼吸ができるようになることです。こうなれば、横隔膜に充分なパワーがかけられるとともに、歌うための安定した呼吸力がつくのではないかと思います。

関西のある音楽大学の先生が、ご自分の生徒さんたちに試したところ、今まで出なかった高音が出やすくなったと述べているので、一度試してみてはいかがでしょうか？

声道に狭窄部はありませんか？

鼻腔、口腔から肺に至る息の通る道（気道）のどこかに狭窄部をつくってしまうと、どんなことが起こるでしょう？

ちょうど散水用のホースが詰まったら水が出なくなるのと同じように、息（空気）が入りにくくなるとともに、息（空気）を外に吹き出すことが困難になります。完全に呼吸困難で、詰まったら窒息です。これは生きていく上で重大な問題です。

一方、声の通る道（声道）では、どんなことが起こるのでしょう？

まず、肺に充分な息が入らなくなると、声をつくるための動力源である呼気圧のパワーが不足してしまいます。

声帯では充分な音源パワーがつくり出せないどころか、声帯に過剰な運動を強いることになり、声のトラブルをつくってしまいます。さらに、構音、共鳴器官でも充分な機能を発揮することができないままになってしまいます。

狭窄の原因を探ってみると、次の３つが挙げられます。

①構造上の問題
②疾病による場合
③発声の方法による場合

このうち、②に関しては、気道を含めた音声器官の疾患の有無について、耳鼻咽喉科専門医に、場合によっては呼吸器内科の専門医に委ねることが必要です。

①については、音声専門医にしっかり診てもらうことが必要です。

③についてですが、発声の仕方によって、声道の中でいちばん狭窄部をつくってしまうのは咽頭腔です。このあたりを音声専門医にきっちり診てもらうことが大事です。

詳しく言うと、口腔から咽頭につながる「口峡」（fauces）という空間です。

この口峡は、咀嚼、嚥下において大切な働きをするところで、天井には「軟口蓋」（口蓋帆）、底部には「舌根」があり、左右側壁には各2本のヒダがあって、口腔側を「口蓋舌弓」、咽頭側を「咽頭舌弓」と言います。

口腔に入った食物塊の咀嚼、嚥下のために、口峡の関与は大きく、食物塊の大きさに合わせて空間の伸縮が見られます。

そのため、下咽頭腔、口腔はともに、効率の良い呼吸・発声訓練で、豊かな共鳴、明瞭度の高い構音を得られることが期待できると思われます。

なお、鼻腔については次の項目で説明します。

喉頭については、音声専門医にチェックしてもらうことですが、それ以外は自分でチェックができます。

冒頭にも書いたように、まず息の通る道、呼吸道として狭窄部がないかどうか、特に気道（肺も含め）の疾病については確実な診断をしてもらって、狭窄部のないことを確認してから、「声道」として使うことが大切です。

さて最近、慢性閉塞性肺疾患（ＣＯＰＤ）が日本も含めて世界中で増える傾向にあるとのことなので、声のプロは知っておいたほうがよいと思います。声の動力源である呼吸についての認識度を向上させて、声のトラブルに至らないような知識を持つことも、声のプロには必要なことではないでしょうか？

鼻は詰まっていませんか？

前項に続き、ここでは鼻腔の狭窄について説明していきます。

まず、風邪を引いたり、鼻アレルギーや副鼻腔炎などになると、〝鼻が詰まる〟という症状が出ることは、誰でも経験するところです。

鼻腔を「気道」として考えるなら、〝鼻が詰まる〟ということは、鼻腔に狭窄があって、空気（息）が流れない状態であるということです。

前述したように、鼻腔の役割は、鼻から入ってきた空気を温めたり、潤いを持たせたり、洗浄してきれいな状態にして肺に送ることです。鼻が詰まるとこの役目が果たせなくなります。鼻呼吸ができなくなると口からの呼吸になり、その結果、リンパ組織の多い咽頭が感染する機会をつくってしまいます。

鼻腔を「声道」として考えると、鼻腔の狭窄によって歌う人がいちばん困ることは、〝ハミング〟ができなくなることです。音声外来で多く見られることですが、学生やアマチュアでコーラスをされている方が、声楽の指導の先生から「あなたは声が鼻に抜けないね」「ちゃんとハミングをしてごらん」「あなたの高い声が出ないのは、鼻が悪いからだと思うので、耳鼻咽喉科に行ってらっしゃい」などと言われて受診してきます。

鼻腔の中の構造について説明すると、鼻甲介といって〝たらこのような塊〟が片方に3つずつあります。この鼻甲介と鼻甲介の間には隙間があって、これを鼻道といって、鼻から吸った息を咽頭へ流していく道があります（33ページ図参照）。

鼻腔の狭窄は、この鼻甲介が腫れて鼻道が狭くなるため、息が流れなくなる場合が多いのですが、両鼻腔の境にある鼻中隔が曲がっていて鼻道が狭くなっていることもあります。鼻が詰まった症状は、診察してみて、以上の所見として捉えられます。

鼻腔の鼻道も声道の1つですから、「ハミングができない」などの声のトラブルは、鼻道の狭窄が原因になっていることがしばしばあります。このハミングができない人には、鼻詰まりを訴える人が多いのですが、症状がなくてもハミングができない人もいます。こんな人は、一度耳鼻咽喉科の診察を受けて、鼻の疾病があるかどうかを調べておくとよいでしょう。

長く歌っているベテランの歌手は、「鼻の奥上方から上咽頭（鼻腔と咽頭の境目）が開いた感じが出ると、声の響き、特に高音に響きが乗って、音がまとまってくる感じがする」と言われます。

私の臨床経験の中で、こんなエピソードがあります。音大声楽科の学生でしたが、「鼻が詰まるので口呼吸しかできない」との訴えで受診されました。肥厚型の鼻炎で、鼻甲介が腫れて空気が流れていかない状態だったので、中鼻道拡大処置をしました。

これは副鼻腔炎などで、中鼻道に血管収縮剤などの薬液を浸したガーゼをしばらく挿入しておく治療で、何回かやっているうちに空気が通るようになるため、鼻詰まりのある人には効果の出る治療です。1～2か月したときに、その学生さんは「鼻が通ってきましたし、鼻の奥がスカーっと開いて、『高い声』が出やすくなりました」と言っていました。

「歌の指導の先生にハミング、ハミングと言われて、もう1つわからなかったのですが、やっと意味がわかりました」と喜ばれたのを見てから、歌う方で希望する方には、この治療を施すようにしてきました。特に演奏会の前になると、「通してもらうと歌いやすいのでお願いします」と、それだけのことで来診される歌手の方もおられました。

歌う人にとって、中鼻道が開いて息の通りが良い状態が大切であることは、私の臨床経験から得たことの1つです。歌ったりしゃべったりするのに、鼻は大きく影響しないだろうと思っている方は、自分の鼻をもう一度チェックしてください。鼻のケアも、大切な声のケアの1つであることを知っておいてほしいです。

しゃべるスピードが速くないですか？

人がしゃべるスピードは、普通１分間に２５０〜３００字くらいが適当と言われます。ＮＨＫのアナウンサーなどは、ニュースを読むときは１分間に４００字の速さで話し、それがスポーツ実況になると倍の速さになるそうです。

昔はＮＨＫのアナウンサーと言えば、しゃべりの見本になるくらい、理想的なしゃべりをしていました。紅白歌合戦などの司会を務めていた宮田輝アナウンサーや藤倉修一アナウンサーなどは、いまだに素晴らしい声、素晴らしいしゃべり方だったという印象を持っています。

彼らは本当に聴いていてまったく違和感のない、気持ちの良い声でした。滑舌の良さはもちろん、少し鼻にかかった声で、しかもイントネーションがあって、話の流れもスムーズで、聴いていて飽きのこない心地の良い声だったと感じています。この心地良さには、やはりしゃべる速さ（スピード）が深く関係しているのだと思います。しゃべっている声を意識させずに聞かせる。そのテクニックが昔のアナウンサーにはありました。

今はどうでしょう？　内容より、その声を意識させてしまうアナウンサーも一部にはいるように思います。華やかで目立つ声、ビジュアルも意識して出している声……。声も大切ではありますが、やはりしゃべるという行動は、歌うことと同じように、聴き手を意識することが重要になります。

昔と違って、政治家でも、最近はマイクの前に立つと、聴き手を意識してくれていることもあって、聴いていて違和感を覚えることが少なくなりました。

教職に就いている方にも、これはお願いしたいところで、劣悪な環境下にあっても、なり振りかまわずにしゃべらなくてはならないことは当然あるでしょうが、そこには聴き手の存在があることを意識しておく必要があります。

こんなエピソードがあります。小学校の女性の教職者が、こんな訴えで受診されました。

「仕事を始めて10年以上になるが、少しずつ声がかれてきて、しゃべるのもつらいし、そうかと言ってしゃべらないわけにもいきません。毎日怒鳴ったような声でしゃべっているので、定年までこの仕事を続けられないと思うし、何とかならないでしょうか？」

そこで、腹式呼吸を中心とした音声訓練を受けてもらいました。主に週1回、ときには2週に1回来てもらい、夏休みには毎日のように頑張ってくれたおかげで、半年くらいで声が元に戻りました。もちろん、訓練以外に声のケアもやりました。

そして、小学校の秋の授業が始まり、教壇でしゃべってみると、生徒たちが開口一番、「先生、良い声になったやん」「女性らしい声になったで……」「いつものように怒鳴らんでしゃべる先生好きや」などの反応がありました。さらに、腹式呼吸でゆったり優しく、怒鳴らずしゃべったら、生徒たちがしーんとして授業を聴いてくれるようになったそうです。

「こんなこと、今まで考えてもいませんでした。私の声が良くなったのも嬉しいですが、自分でつくった良い環境で仕事ができるようになったのがすごく嬉しいです」

この方がこう話してくれたので、私までも嬉しい気持ちになりました。そして、一言こう言われました。

「生徒あっての先生だということですよね。反省しています」

ゆっくりしゃべれば息継ぎがしやすくなり、怒ることがあっても、冷静に対応できるというメリットがあります。速く、呼吸も浅く、少ない息で長いセンテンスを一気にしゃべろうとするため、ストレスも加わり、声帯に思わぬ負担が来て、声のトラブルになるのでしょう。私は先生方には、このように言っています。

「しゃべるときには充分に息を入れて、ゆっくりしゃべることをいつも意識してください。板書をしている間だけでも、ゆったり腹式呼吸をしてください」

「起声」が硬くないですか？

「起声」というのは、声の立ち上がり（声の出しはじめの瞬間）のことで、歌唱の場合は、「起声」がいいかどうかでその人の歌の実力がわかると言われるくらい大切なものです。これに対して発声の終わるところは「止声」と言います。

起声は英語で「アタック（attack）」と言い、そちらのほうが知られているようです。ただ、歌唱の方の中には、「アタック」と言うと「音に当てる」「ある音を強調する」と解釈する人もいて、私にはそのあたりの声楽用語としての知識がないので、難しいところでもあります。

起声は次の5つに分類されます（加藤友康氏の分類より）。

①H起声（気息性起声）（Breathed attack）

声帯摩擦音である子音「H」を含んでいる声。「ハァー」と出す声。両声帯の間（声門）を軽く閉じ、その隙間から息を出す声（息もれのある声）。

②軟起声（Soft attack）

ため息発声の感じで出す声で、声楽発声には理想的な発声とされる。

③想像的Ｈ起声（Imaginary H attack）

「Ｈ」子音を頭の中でイメージしながら発声する。マイクに乗せてしゃべる声としては理想である。もちろん、歌唱にも適している。

④硬起声（Hard attack）

声門を少し強めに締めているところに、声門下圧（声帯の下にかかる圧力）を上げていって、破裂的に声帯から呼気を出すときの声。胸式呼吸で発声する人によく見られる。人前でしゃべる人は、語音明瞭度をしっかり上げるために硬起声になっていることが多いが、腹式呼吸をできるか否かが大事。腹式呼吸で息のコントロールができれば、話声に適している。

⑤圧迫起声（Press attack）

気管に異物が入ってそれを出そうとする咳嗽によって出る音。つまり、強い咳払いをするように出す声。長く続けると確実に声帯がやられてしまう。

声の出しはじめに5つも種類があることを知っておき、あなたの声がどの分類にあるかを確認しておきましょう。①②③は合格です。④⑤（特に⑤）は早めに発声訓練をしないと、声のトラブルが確実に起こります。

私の音声訓練では、腹式呼吸法をするために小文式呼吸訓練を行いますが、その中で「硬起声」「圧迫起声」の人には「H起声」の訓練をやります。自分で呼気流の調整ができるようになれば、容易に軟起声が出せるようになります。

人前でしゃべる仕事をされる教職者の方々は、硬起声でしゃべることが多いためか、歌っても硬起声になりやすいので、この両者を使い分けられるように訓練することが大切です。

素晴らしい声で歌うためには、声の出だしは弱音（ピアニッシモ）の柔らかい軟起声でスタートしてほしいです。聴く側は皆それを期待しているのです。

急な大声や力んだ声を出していませんか？

前述したように、急に大きな声を出したり、怒鳴るというのは、起声の中で最も悪い「圧迫起声」になってしまい、喉に大きな負担をかけることになります。「力んだ声」も「喉を詰めた声」も同じです。

圧迫起声の起こし方（出し方）は前項で説明しましたが、浅い呼吸で発声をすると喉を傷めてしまいますが、深い呼吸ができるようになって、呼気の量をたくさん使って調整していけば、声帯への負担はほとんど問題ありません。

赤ちゃんの泣き声を思い出してみてください。お腹から思い切って息を出して泣いている声の大きいこと。でも、声帯は傷まないのです。

声の大きさは、呼気圧と声門の閉じる力によって決まるとされています。思い切って出しても、声帯など喉頭周辺の筋の緊張がないほうが立派な大きな声が出るものです。反対に、「声帯で鳴らしてやろう」と力を入れて声を出したら喉を傷めてしまいます。

自分でもその2通りの声の出し方をやってみてください。

声帯などその周辺部の緊張をもって声にすると、声が硬く破れてしまい、不快な声になってしまうのがわかると思います。

教室で生徒たちがこんな先生の声を常時聴いていると、ストレスになって、話の内容を聴いて理解するどころか、気分がイライラしてくるでしょう。

講演会などで、マイクを使っていても、言葉がはっきりしない、声が大きすぎて耳障りになるといった経験を持った方もいると思いますが、歌だけでなく〝しゃべる〟ということも実は難しいものなのです。

私は教職の先生方に、「怒鳴りたいことは多々あると思いますが、次のことを守ってほしい」と言っています。

①「怒鳴りたい」と思った瞬間、2秒間だけゆっくり息を出してください。続けて3秒息をたくさん吸って、2秒止めて、7秒ゆっくり息を出すようにしてください。

②「怒鳴りたい」と思った瞬間、H起声を思い出して声を出し、少しずつクレッシェンドで声を大きくしていってください。日頃「大きな声」を出すときも、いきなり大きな声にするのではなく、はじめは小さい声で出し、少しずつクレッシェンドで声を大きくしてしゃべるよ

うにしてください。

急に大きな声を出した瞬間、怒鳴った瞬間に、声が出なくなって、授業が続けられなくなったという先生もときどきいらっしゃいます。

そうしたときは「声帯出血」が起こっている場合が多く、もともとポリープや結節がある方が多いです。

教職の仕事に慣れない先生方の中には、こんなことが起こってパニックになってしまう方もおられます。できるだけ早く耳鼻咽喉科の専門医に診てもらうことが大切です。

特に、喉が乾燥しているときは要注意です。しゃべる時間が長くなりそうだと思った場合は、ペットボトルを手元に置いておき、喉を潤すことを入念に行ってください。そしてゆっくり息を吸って、大きな声を出すときには、クレッシェンドで声を出すことを心がけてほしいと思います。

咳払いをする習慣はないですか？

前項でも指摘したように、起声を指導するときは、「咳払いをするような発声はしないように」と言っています。

それは、しゃべる、歌うに関係なく、皆同じです。咳払いをしながら歌うことはまずないのですが、しゃべる場合には話の途中でエヘンエヘンと咳払いをする人もいて、これはちょっと考えものです。

理由はともかく、一般の方々でも習慣になってしまう場合が多く、若い人で鼻アレルギーや副鼻腔炎など、鼻腔疾患がある人によく見られます。

後鼻漏といって、鼻汁が喉に落ちてきていつも喉に異物感がある人や、高齢になるに従って口の中の分泌液が減ってきて、その違和感で咳払いをする人もかなり多くいるようです。

咳払いが日常の習慣になっているようであれば、一度耳鼻咽喉科で診てもらうことをお勧めします。

他には下気道の病気などからも、咳嗽だけでなく咳払いのような症状が続くこともありますので、こんな場合はやはり呼吸器内科を受診されたほうがよいと思います。咳もそうですが、咳払いも声帯に影響して声のトラブルの原因にもなりますから、ぜひ留意してください。

次に、咳払いに関連して分泌液についても触れておきます。

口腔から少し離れたところにある唾液腺から導管を介して口内に唾液を出す大唾液腺と、口腔内の粘膜から分泌される小唾液腺も含めて、分泌液が1日約1リットルは出ていると言われます。産まれたての赤ちゃんはヨダレが多く、高齢者にとっては何とも羨ましい限りの分泌量と言えます。

その量が年を取るとともに減少していくことは、自然の理としてあきらめなくてはならないのでしょうが、声帯はこの分泌液なくしては稼働してくれません。

これは車のエンジンオイルのようなもので、これがなくてはエンジンはオーバーヒートしてしまいます。

声帯の場合も、その間にぬめりのある分泌物があってこそ、滑らかなつやのある、潤い豊かな声が出るのです。

加齢とともにいろいろな機能の低下が起こってきますが、声帯を見る限り、次の4点に集約されると思います。

①構造的に声帯の萎縮による声門の閉鎖不全
②機能的に呼吸筋の活性力低下のための呼気量の減少
③粘膜からの分泌機能の低下が内分泌機能の低下と相まって起こってくること
④その他、循環機能、心肺機能、そして全身の筋活性の低下、自律神経系の調整不良など

特に分泌液量の減少、全身の筋肉活性の低下、自律神経のコントロール不全などは、健康を維持するための一般的なトレーニングだけでも充分効果があるものです。

それとやはり水分の補給をすることが重要です。1日に1リットル〜1・5リットルは摂取が必要と言われているだけに、それを実行することです。糖分の少ない、ぬめりのあるトローチなども良いと思います。

うがいをすることは大切ですが、頻繁にすることはできませんから、外出時にはポットに温かい緑茶、あるいは水を入れて持ち運び、適時口に含む程度で飲むことをお勧めします。分泌液にはある程度の〝ぬめり〟が必要ですので、その〝ぬめり〟をなくさないようにうがいをするということです。

何はともあれ、咳払いが〝癖〟になっている人は、意識してその〝癖〟を取り払うことが、声を守る上ではとても大切になります。

長電話をしていませんか？

電話で話すときというのは、ほとんどの人は声のピッチが上がっています。ピッチが上がっても短時間なら問題はないのですが、長時間になってしまうと喉を傷める原因になります。

人の声には「話声位」というものがあります。これは、人がしゃべるのに無理なく自然に出てくる声の高さのことで、声域の下１／３くらい、あるいは声域下限から3～5音高いピッチにあって、男性で１２０Hz（女性は２２０Hz）くらいが平均とされています。

電話でしゃべっている人の声を聴いていると、その人を知っている人ならば、「いつもより声のトーンが高いな」と感じると思います。話声位を逸脱してしゃべるのは、短時間なら問題は起こりませんが、長時間になると声帯に負担になることがあります。

歌のプロの方で、歌う前日に長電話をしすぎたことが原因で、「本番で声の出が悪かった」といった訴えをする人を何人か診たことがあります。学校の先生も同様で、話声位を逸脱してしゃべっている内に、声のトラブルを来す人がいます。

音声医は、声のトラブルで来られた方には、話声位の測定をして、その人にとっての話声位から逸脱していると判断すれば、音声訓練で話声位の補正を行います。声のプロならば、自分の話声位がどのあたりかは知っておいたほうが望ましいでしょう。

私は、測定するのに器械は使いません。ご自身の「本籍地」を声に出して言ってもらい、テープに収録しておいて、後から耳で聴いておよそのピッチを決めます。このやり方だと、しゃべりのピッチ変動が少ないので、ピッチが決めやすいという理由からです。

簡単なことですから、教職に就かれる先生方は、就職時に自分の声を収録しておいてもらえると、後日声のトラブルなどの解決の大きな糸口になります。ぜひ収録して、大切に保管しておき、診察時に持参してほしいと思います。

長時間の電話は、受話器が口に接近していることもあって、しゃべるときに喉に力が入ってしまいます。人によっては、喉を締めつけて大きな声でしゃべるのを見かけますが、これは短時間でも喉にとっては良くないことです。

また、寝ているときに急に電話で起こされ、すぐしゃべることも要注意です。覚醒してすぐに発声することと同様に、ぜひ気をつけてほしいと思います。

休憩を取らずに歌の練習をしていませんか？

「1日でも早く、もっと歌がうまくなりたい！」

そう考えて、毎日何時間も歌の練習をしている人がいます。歌の上達に練習は欠かせないのですが、これには加減が大切になります。喉に負担をかけて疲れてしまっては、元も子もありません。

「それでは、どんな練習をすればよいのですか？」

「1日何時間くらいがよいのですか？」

そんな質問が返ってきそうです。

私が声の相談コーナーを診療所に併設した頃（40年前になりますが）、前述したように、米山文明先生が出された著書の中に、先生が音楽大学学生を対象にして調べられた結果、1日3時間を上限にし、20分練習したら10分休憩というペースでするのがよいと書かれていました。

私もその方法にならって、学生さんたちにはそんなアドバスをしてきましたが、慣れてくれば全体の練習を少しずつ延ばしていってもよいと思っています。

声が疲れてくる現象を「音声疲労」と言いますが、何回も音声疲労を繰り返すと声のトラブル（病気）になってしまうので、注意が必要です。運悪く「音声疲労」になってしまうと、以下のような症状が出てきます。

・喉の不快感
・喉の乾燥感
・さらには喉の違和感、咽頭痛
・咳払いなど

音声疲労によって、「歌うといつもと違う音声が出て、自分で調整しようと思ってもできない」と言った声楽家もいました。一般的に言えば、声がガサガサして、「いつもと違った声質になる」「歌うのが不快だ」といったことが共通した症状のようです。

こんな症状が出てきたら、その日はそれで歌うのを中止することです。その場で少々休んだくらいでは、なかなか回復しないことが多いです。

歌う前にしゃべりすぎていませんか？

歌手の人はコンサートなどで、歌の合間によくMCを挟んで曲の説明をするためにしゃべることがあります。すでに説明したように、声にはしゃべるという話声と歌うという歌声があり、両者は声の出し方に少し違いがあります。

どんな違いがあるのでしょうか？　そこにはいろいろな相違点がありますが、話声には言葉をつくって声を出す、つまり構音機能があるのに対し、歌声は歌うためにさまざまな音色、そして共鳴（響き）が優先することが大きな違いです。

発声の仕方としては、歌声は基本的には軟起声でなければなりませんが、話声のほうは硬起声になる傾向があります。

つまり言葉の明瞭度を良くして、内容が理解されるように伝達しないといけないため、硬起声傾向になるのですが、基本的には想像的H起声でしゃべってもらいたいと考えています。

先程のように、コンサートの合間にしゃべりを入れると、聴衆に理解してもらうために、どうしても硬起声に近い発声形式をとってしまいます。そこですぐ歌うというときに、うまく軟起声に切り換えができなくなって、結果として声帯に負担が来るということです。

こんな症例がありました。あるとき、中学の音楽の先生がこう言って来られました。

「授業を開始して淡々としゃべっているときは支障はなかったのですが、ときどき興奮して大きな声でしゃべると、その後で歌唱に入って歌っても、思うような声で歌えないんです」

詳しく聞くと、授業が終わってしばらくすると、また普通に歌えるとのことでした。声帯所見も含めて特に問題がなかったので、こうアドバイスしました。

「授業の始まりにまず歌ってみて（生徒に1曲、先生の歌を聴かせてあげて）ください。その歌った感覚で、続けて授業をしてみてください」

先生は実際にそうやって授業をしてみたところ、「それを実行して、声がおかしくなることはなくなりました」とおっしゃっていました。

その後、先生はそうした授業を続け、あるときこうおっしゃっていました。

「授業の始まりに、私も舞台で歌うつもりで歌いました。その結果、生徒たちから『先生、いい声で歌うわ』などと注目されてから、授業中の生徒たちの態度も良くなりました」

しゃべる声、歌う声のはっきりした違いは、説明が難しいですが、しゃべる声も歌う声の延長線上において使うことが、大切なことではないかと思っています。

食事の直後や飲酒中に歌ったりしていませんか？

歌う前にたくさん食べて歌いにくくなった経験はありませんか？

満腹で胃が膨らんでくると、横隔膜が下がらず腹式呼吸ができなくなります。腹式呼吸で歌っているプロは、歌う前に食べると満腹でなくても歌いにくいと言います。横隔膜が使えなくなり、結果として胸式呼吸になる、つまり浅い呼吸になってしまうということです。

消化に関して少し説明しておきます。食物を摂って消化をする大切な臓器は「胃」です。胃に食物が入ってきて、消化のための運動と胃液の分泌は約1〜2時間がピークで、胃が空になるには4時間かかります。

胃液には3種類あり、殺菌のための強い酸である塩酸、消化酵素、そして胃壁を守る粘液で、各々の役割で消化にあたっています。胃は自律神経が司っているため、そのバランスが崩れると、3つの胃液のバランスも崩れて消化がスムーズに行えなくなります。

特に人前でしゃべったり、舞台で歌うなどで、緊張のために交感神経が優位になると、唾液の分泌抑制が起こり、喉の乾燥感が出たり、胃液が出にくく、胃酸が多くなって胃の運動も鈍くなり、いわゆる〝胃もたれ〟になって横隔膜の運動が制限されたりしてしまいます。たくさん食べてすぐに横臥位になると、(横になって就眠することで)強酸である塩酸(胃酸)が食道を逆流して、上気道に入ってトラブルを起こします。自律神経の影響で、胃酸が多くなった状態にあると、咽喉頭胃酸逆流症(逆流性食道炎)になる可能性が高いのです。最近、そうしたケースもよく報告されています。

夜遅くなっても、就寝前は少なくとも食事から2時間以上空けることは、健康を維持する上でも大切ですし、声のトラブルの原因になる逆流性食道炎の予防にもなると思います。

一方、飲酒についてはどんな注意点があるのでしょう?

一般の外来で、夕方になると少し飲酒をして診察に来る人が稀にいます。飲酒量と声帯所見との関連について調べたわけではないですが、お酒を飲んで気持ちよくなった頃にいい声が出てきたりするもので、そんなときの声帯は軽く赤みがかって、声帯が少しむくんだ状態として見られることから、歌いやすくて自分でないような良い声が出るのかもしれません。もちろん、同一人物のしらふのときの声帯所見と比べてみてのコメントです。

アルコールが入るとカラオケで歌いたくなるという心理状態は理解できます。調子に乗って酒量が多くなってくると、だんだんと声が重たく、くすんだ感じになるのは、経験のある人ならわかるでしょう。そんな状態の声帯は、粘膜のむくみで大きく腫れ、声帯のまわりの水分も少なくなって、徐々に枯渇状態になってしまいます。「音声疲労」の最悪の状態と同じようになり、声の出ないところを無理に出していると、出血などとんでもないことが起こってしまうので、充分注意をすることです。

声のプロの人は、お酒と声のことに関する知識は充分持っているので、アマチュアの人と比べて、お酒のことに私が口を挟むことはまずありません。

ただ以前から気になっていることが１つあります。オペラなど大きな公演やイベントが終わると、出演者全員で打ち上げ会をすることです。後日、「喉の調子が悪い」と言って来る人がときどきいます。終演後は、乾杯だけして軽く食事をしてお開きにしてはどうかと思うのですが……（部外者がそんな差し出がましいことはしないほうがよいと思っているのですが……）。

舞台に上がる、今からイベントが始まる、そんな人たちには、あらかじめ食事の管理指導をしておきます。声を出す前には、食事を摂らない、摂っても栄養価の高いもの、消化の良いものを少量（いつもの１／４量）にするのがよいでしょう。また、「緊張をほぐすためにアルコールを」と言われる方もおられますが、こちらも摂らないほうがよいと思います。

練習中に低音発声ばかりしていませんか？

これは、これから歌うことを職業にしようという人に知っておいてもらいたい項目です。

歌の発声練習をするときには、普通は出しやすいキーから始めて高いところまで2オクターブくらいを練習します。声域には生理的な声域と音楽的な声域があります。1オクターブしか出ない人から3オクターブ出る人までさまざまですが、いずれにしても自分の音楽的な声域の範囲の中できちんと歌っていくことが基本です。

ところが、なかには自分の声域を超えて練習する人がいます。少し低音にするくらいなら声帯に負担がかからないと考えているのだと思います。高い音の出ない人が高音の練習をしすぎて喉を傷めるというのは誰しもイメージできますが、低音なら大丈夫だと思っている人が少なくありません。

試みに低い声を出そうとしてみてください。あまりにも低いと、声にならないでしょう。ずっと下げていくと音が鳴らない音域が出てきます。アマチュアの中に、朝の起床時に意外と低い声が出るからと言って、音の鳴らないところも頑張って、そこまでを練習して出そうとする人がいます。男性の声楽家であればバリトン、女性ならメゾ・ソプラノの人では、低音発声することは少なくありません。本来、そこまで低い声域を持っていないにもかかわらず、テノール、ソプラノの人が音楽的声域を超えて、出ない低声を無理に出そうとすると声帯を傷めてしまい、普通に歌うこともできなくなってしまいます。

低音を発声するためには声帯全体を使うので、たくさんの息の量が必要になります。低い音を出すには、声帯を緊張させずにたくさんの息で鳴らさなければなりません。息の少ない人はそもそも低音が出せません。

歌をうたう人にとって低音はとても大切ですが、「いつも発声している音域の声がおかしくなった」という訴えで来院するのは、低音の練習をしすぎたのがきっかけになっていることが少なくありません。

低音発声の上手な人が中音から低音に音を下降させる様子を喉頭鏡で診ると、喉頭の内腔の広がりにも変化がなく、また声帯の長さにも変化は起こりません。できない人は下降するほど内腔が狭まり、声帯も短縮して見えます。これは胸式呼吸の人に多く見られます。

いずれにせよ、高音部、低音部などの音楽的声域を超えての発声訓練には、時間をかけないほうがよいでしょう。

悪い発声を真似していませんか?

良い発声を真似するのはいいのですが、悪い発声は真似してはいけません。

以前、外来にこんな患者さんが来られました。長年、アマチュアの人を対象に、声楽の指導レッスンをされているプロの声楽家の方で、このように言いました。

「最近、新しく来られた人を声楽指導していて、1時間もしていると、疲れのためか思ったように声が出なくなってきます。自分でも原因がわかりません。どうしたのでしょうか?」

お話を聴くと、歌ってもらいながら、発声の見本を示して悪いところを修正することが多いそうで、理解の悪い人には、「あなたは今、こうやって声を出しているでしょう! これは駄目です」と言って、生徒さんの悪い声を真似ることが多いそうです。

「振り返ってみると、そのほうがよく理解してもらえるからと思って、今まで以上に悪い発声をやっていますね!」と言われました。

「あなたはこんな発声……だけどこんなふうに発声しなければ駄目なの……!」と言って指導する声楽の先生が、自分で長い間苦労して築き上げた〝声〟を傷めてしまうのは、もったいないことです。

良かれと思ってやっていることが、裏目に出てしまっています。学生の頃から声楽をきちんと勉強してきた人に発声指導をするのと、アマチュアで何も歌のことがわかっていない人に教えるのでは、確かに大きな違いがあるとは思いますが、やはり自分の声は大切にしてほしいと思います。

また、逆のケースもあります。素晴らしい演奏会に行って、声楽に限らず、どんな楽器であっても、良い音楽の中で、その演奏家の奏でる音の中に溶け込まれてしまうといった経験を持った方もいると思います。

声を出す人であれば、素晴らしい声を聴いて「何か自分でもあんなふうに歌えるのではないか、あんな声が出るようになるのではないか」と考えたりします。そして帰って実際に歌ってみると、「いつもと違う、私でないような声で歌える」などという経験をした人もいるのではないでしょうか。ときどき、そんな話を聞きます。

スポーツの世界には、イメージトレーニングという訓練法があります。もう何十年も前に、アメフトの京大が、関西でも首位をキープしていた時代がありました。万年最下位が当たり前だったチームが、どうしてそんなに強くなったのか。当時の京大アメフトの水野監督の講演があり、そこではじめてイメージトレーニングというものを知りました。

イメージトレーニングは、簡単に言うと〝なりたい自分〟をイメージし、セルフコントロールすることで、「取り組むべきこと」を明確にして努力するということなのですが、水野監督はそれを入学してくる学生に徹底して教えたそうです。「その指導が良い結果を出した」と話しておられ、感銘を受けたのを今でも覚えています。

私のことながら、仕事の合間を縫ってやってきたゴルフが、もう半世紀を超えました。ゴルフを始めて10年になるのに上達がままならないときに、ちょうど水野監督のお話を聞いて、私なりのイメージトレーニングでゴルフの上達を目指しました。何を対象にしたかというと、自分の気に入った素晴らしいフォームでスイングする一流ゴルフプレーヤーの秘蔵動画です。暇さえあればその動画を見て、頭にたたき込んで練習することで、ゴルフのスコアが良くなったことが思い出されます。

プレーをしながら、「そのイメージを頭に描いて行動する」「人間の行動様式を正しく決めていく」には、こういったイメージトレーニングが良いかもしれないと思いました。「小文式呼吸訓練法」の発想は、このあたりに原点があるのだと思います。

私は以前から、アマだけでなく、プロの歌手の人にもこう進言しています。

「いろいろな人（もちろんプロです）の演奏会に行って、いろいろな声を聴いてください。特にアマチュアの方には、自分よりは上手と思われる人、何か自分にはないがその人は持っていて参考となるもの、取り入れるものがないか、一生懸命聴いたほうがいいですよ」と。

声楽をしない私でも、レベルの高い人の声は聴きたいと思います。その人の持っている音楽性だけでなく、その歌っている身のこなし、顔の表情、姿勢、息継ぎ（呼吸）の間などの総合的なものに魅了されます。それが楽しみで演奏会によく行くのだと思います。

先に「素晴らしい歌声を聴いた後、家に帰って歌ったら、何かそれに近い良い声で歌えた」という話をしましたが、やはり耳から入ってくる情報だけでなく、目から入ってくる情報や、会場の雰囲気などの条件も影響しているような気がします。

この著は「歌が上手になる本」ではないので、少し余分なことを書いてしまいましたが、良い人の声はできるだけ聴くことです！　悪くなる発声の要素もそこから取り込んで、反省材料として、自分の声を守るための1項目として加えていくことが大切だと思います。

従来の発声法を変えませんでしたか？

歌を学んでいる人の中には、「従来の発声を少し変えた」というだけで、声のトラブルを起こす人が少なからずいます。

中でも指導者を自分で変えた、または学校の方針で変えられたため、今までの発声の仕方と違った発声方法で歌唱練習をすることで、おかしくなったという方が多いです。

今までの発声ではしなかったことを急にさせられておかしくなったというのは、たとえば「呼吸の仕方を変えられた」といったことや、「声帯の使い方が悪い」とか、「もっと声を抑えて！」「音の響かせるポジションを変えて！」などといった指導によるもので、音声臨床医としては、発声現場での実体を把握していないために、こうした声のトラブルには相談に乗ってあげられないことがあります。

指導する先生が自分の思った発声につながらないと判断したら、元の指導者に戻るほうがよいのではないかと私は考えています。あるいは友人、同僚に相談することをお勧めします。

一方、特定の指導者もなく自分のペースで発声をしている方で、発声を変えてから調子が悪くなったというケースには、ゆっくり相談に乗って、本人の満足するヒントが与えられるように努力することはできます。

いずれにせよ、発声法を変えることは、初心者ならば問題はないのですが、ほどほど訓練を積んでベテランの域に入り、そろそろ皆さんに認められる時期の方であれば、発声に違和感を感じたらすぐ止めるか、何が原因なのかをすぐ反省するか、前の発声に戻すか、また一旦休止符を入れることだと思っています。

個々の持つ「発声の基本」ができていれば、少しくらい寄り道をしても修正は容易にできますが、自分の持つ「基本の発声」のない人は、元に戻って来られなくなるのだと思います。その意味で、声の知識を持って常々自分の発声の「基本の型」をつくってしまえば、まったく心配は要らないでしょう。

音声（声）の成立の三要素は、呼吸、音源、共鳴です。これをきっちり頭に入れて、自分独自の発声の型を身につけてほしいです。前の項でも書いたように、悪い発声の真似をしたら、その発声が自分のものになってしまうことや、逆に素晴らしい声を聴いていると、その歌手の発声が自分の中に入ってきて、良いイメージをもって練習することで、さらに自分の向上につながることなど、声には不思議なところがあるようです。

歌声のウォーミングアップとケアはしていますか?

人の身体は、起床後に少しずつ血液の流れが良くなって、本来の状態に筋肉が働き出すまでには時間を要することは知られていることです。

喉のまわりには多くの血管がありますが、音源である声帯のまわりには血管が少ないため、声を出す態勢が整うまでには時間がかかります。車のエンジンオイルのように、喉を潤す分泌液が出てくることを考えて声を出していかないと、声帯を傷めてしまいます。

皆さんも、朝起きたての声は、低音のくぐもった声ということは知っているはずです。

また、別のパターンとして、寝ているときにかかってくる電話に出ることがあると思います。そのときに相手に自分の本来の声らしく出そうとしてしゃべたりすると、短ければ問題はないですが、これが長い電話になると、危険です。特に、翌日に歌う、講演をするなどといったイベントを控えているときは要注意です。

スポーツを始めるときには、必ずウォーミングアップをします。ゆったり呼吸をして、使う筋肉のマッサージや柔軟体操（筋肉の脱力と姿勢矯正）などをします。

声の場合も同様で、ウォーミングアップは欠かせませんが、他に私は顔面表情筋のマッサージも勧めています。さらに舌の運動、下あごの関節運動を軽くして、呼吸をしてから発声練習をするよう勧めています。

一旦立ち上げた声は、無理な発声をしない限りは、2～3時間は続けられます。オペラの場合は、2～3時間は当たり前にハードな発声をしていくわけですが、体調が悪くない限り、ウォーミングアップをきちんとしておきさえすれば、声は傷むことはありません。

またオペラなどでは、途中幕間に歌わない時間があります。出番の少ない人では、舞台の裾で長い時間、歌わないで待つことがあります。そして、いざ出番だと舞台に出ていったら、「それまでの声で歌えない」「声が出ない」「声がおかしい」などのケースに私も出合ったことがあります。

こんなことにならないためには、どうしたらいいでしょうか？

舞台の裾で軽くでも声を出していればよいのですが、そうはいきません。まず第一に水分を摂ること、つまり喉を潤すことです。できれば魔法ビンにぬるめのお湯を入れておくなどして、それを少しずつ口に含んで喉を潤しておくことです。蜂蜜にレモンを少し入れたお湯を使う人もいます。自分に合うトローチ、飴を舐めるのもよいでしょう。

そしてもう1つは、喉を冷やさないことです。首のまわり、喉頭も含めて、皮膚の温度を下げないことです。

最近、自然食品のお店で、直径2㎝の丸粒になった梅干し果肉の加工品を見つけ、口に入れて試してみると、やや酸っぱくて4～5分で溶けて唾液が出るので、声を使う人にはうってつけのものではないかと思い、高齢の方々に勧めています。

夏場でも会場にはクーラーが入っているので、そんなときには短時間の休憩中でもタオルを巻くとか、マフラー、スカーフを巻くとかして、保温に努めることです。冬場だと、人によっては携帯カイロをマフラーの中に入れて巻いている人もいるくらいです。とにかく保温には気をつかってほしいです。

そして、終わったらそのまま終わるのでなく、スポーツの終了時と同様、クールダウンが必要です。これも自分の声を守るための大切なケアです。

風邪の症状があるときに歌っていませんか?

いわゆる「風邪」にかかると、上気道炎のために声帯にも粘膜の充血や浮腫（むくみ）が起こって声もかれてきます。

風邪でも上気道炎型（声帯より上方にかけて）では、まず上咽頭に痛みが出ることが多く、つばを飲むと喉の上のほうが痛いと訴える方が多いです。

長く耳鼻咽喉科をしている医師は、一般の診療で、上咽頭に巻綿子という太い綿棒でルゴール薬液（今は使用しません）を塗布することを常としていましたが、現在は塩化亜鉛などを使って塗布する治療がなされています。風邪の始まりは、それだけで治ってしまうケースもあります。

一方、下気道炎型（声帯より下方）の場合は、声帯（声門）の直下に浮腫を来すことが多く、声がまったく出なくなることもあるので要注意です。

いわゆる風邪は、ウイルス感染によることが多いので、抗生物質（抗菌剤）などは効き目がないですが、細菌感染の合併症を考えて抗生物質を処方されることが多いです。

気管に及ぶと咳、痰が多くなり、またなかなか治りが悪く、1～2週間続くこともあります。痰には、去痰剤が効果があります。一般向けの薬剤も出ているので、早めに使うことです。咳が2週間以上長引くようであれば、呼吸器専門の外来を受診することです。痰を伴った咳が長引くと、いちばん困ることは、先述した声帯の下（声門下）の浮腫が起こって治りにくいことです。

はじめは失声といって、声がまったく出ない状態で、さらにいつものように息がスムーズに入っていかないという訴えもあります。内服、吸入などで改善したかのように見えても、いつまでも声は前の良い状態に戻らないこともあります。

〝声のプロ〟にとってそれは一大事です。そのため、私は抗アレルギー剤を処方し、さらに音声訓練のうちの声門下腔を広げる呼吸訓練をすると、比較的早くに声の改善が得られるようになると思っています。

風邪のような症状があったら、声はハードに使わないことです。風邪の場合は、そのときの体調によって少しずつ上気道、下気道の炎症を増悪していくことが多いです。充分に栄養を摂って、睡眠をきっちり取ればそれだけで治りますが、近い時期に本番があるとか、イベントがあるという場合には、かかりつけ医に相談して、治療法についてのアドバイスを取りつけることをお勧めします。

前述しましたが、最近、慢性閉塞性肺疾患（ＣＯＰＤ）が増加傾向にあることから、早めに呼吸器専門医を受診することをお勧めします。吸入抗コリン薬の使用が功を奏したという専門医のお話を聞いたことがあります。

それと、予防する方策として当たり前のことですが、毎日のうがい（1回3うがい）、鼻うがい、できればスチーム吸入、それと外出時にはマスクをすることです。私が子どもの頃は、親が包帯用のガーゼでマスクをつくってくれて、冬場はそのマスクをつけていた記憶があります。何枚も重ねてつくったため、織り目が粗いこともあって、通気性も良く、自分の息の温度を冷やさず、メガネは曇りますが、適当に湿度もあって良かったと今でも思っています。

その影響（効果）を考えて、今でも市販のマスクにガーゼを2、3枚重ねて使っていますが、これは効果がありそうです。

以上、この章では「こんなことをしたら喉を痛めますよ」ということについて説明をしてきました。「はじめに」にも書いたように、「声のトラブル」を検証して、その原因、そしてそこに至った誘因について書き出したものを、1つ1つの項目としました。

皆さんの中には、この章の項目のいくつかに思い当たるものがあると思います。自分の声の管理、ケアに関しては、「やってはいけないこと」を守ることもケアの1つです。まだまだ、やってはいけない項目はありますが、少なくとも今回載せた項目だけは知っておいてほしいと思います。

第4章

声を使う人に知っておいてほしいこと

この章では、日頃声を使う人はもちろん、〝声のプロ〟にも知っておいてほしいことを臨床音声専門医の立場から改めてまとめてみました。これらのことを常に念頭に置いて、ご自身の〝声〟と向き合ってほしいと思います。

1 音声器官の解剖・生理についての知識を高める

音声器官というのは、人が声を発するために用いるさまざまな器官の総称です。具体的には、肺、気管、喉頭（声帯）、咽頭、鼻腔、口腔（舌・歯・唇）などです。

ここで重要なのは、これらは発声のためだけの器官ではなく、それぞれ呼吸や嚥下、咀嚼などにも関与しているということです。

声のプロは、こうした音声器官の解剖と生理についての知識を高める必要があります。解剖というのは構造的なことです。生理というのは機能や働きのことです。単に、声の生理学だけを考えるのではなく、人間の身体の生理学を知っておいてほしいと思います。

人間が声を出して話したり、歌ったりするには、たしかに声の生理学は重要です。「音声生理学」という学問分野があります。これは音声器官の機能を科学的に分析するジャンルです。

つまり、発声発音に関する解剖的、生理的機能や音響学レベルで声を研究する学問です。音声生理学を究めることは大切ですが、その前に人が生きていくために必須の呼吸（気道）の生理学や嚥下（食道）の生理学についても知っておいてもらいたいです。

まずそちらを理解した上で声（声道）のことを考える。それが結果的には、正しい「発声」を身につけるための近道になります。

音声器官の解剖・生理については、第1章の「声の基本を理解しておいてください」（26ページ）を参照してください。

2　自分の〝声〟を客観的に評価してもらう

自分の本当の声は自分には聴こえません。他の人が聴いているのが〝私の声〟なのです。

自分の聴いている〝声〟は身体全体の感覚であり、確かなものではありません。ですから、自分1人で歌っていたのでは、その歌や声が良いのか悪いのかはわかりません。自己満足に陥ってしまったのでは上達は見込めません。

もっと良い声で歌いたい――。そう考えるのであれば、その声を客観的な見地から評価してもらう必要があります。

まずは、声の評価について誰か信頼できる人——医師以外の指導者や協力者を持つことが大切です。

そして、歌をうたう人であれば、コンサートなどの際には必ずその人に評価してもらいましょう。その評価と自分の歌う感覚を常に対応させることが大切です。

場合によってはいちばん前の観客席で、あるいはいちばん後ろで聴いてもらう。そして、自分の声がどうだったか、会場での自分の声の響きはどうだったかなど、冷静に批評してもらい、アドバイスを仰ぎましょう。

3 自分の〝声〟を自己判断する難しさを認識する

自分の声を自分で判断するのはなぜ難しいのでしょうか?

耳に音が伝わる経路(受聴形式)は2種類あります。1つは空気伝播(気導)。もう1つは骨伝導(骨導)です。前者は、空気を伝って鼓膜を振動させて内耳に伝わるルートです。後者は、声の振動が頭蓋骨などの骨を介して、直接内耳に伝わるルートです。

私たちが他人の声や歌などを聴いているときは気導で聴いています。しかし、自分が話している声や歌っている声はほとんど骨導で聴いています。

話し声や歌を録音して聴いてみると、自分の声が思っていたのとは違って聴こえるという体験をした方は多いでしょう。これにはそんな理由があるのです。

そうした違いがあるということを自覚して、自分の声についての感覚を持っておくことが大切です。そして前述したように、パートナーを信頼し、その人の聴いた感覚と自分が歌っている感覚をマッチさせるように努力しましょう。それが上達への道です。

4　自分の〝声〟の癖を知る

誰でもそうですが、声の出方（声質）や出し方（発声法）などにはそれぞれ癖があります。その癖は人によって千差万別です。声質、発声法、気象環境、体調の変化、心理的要因などさまざまです。

声質については、繊細で柔らかい声の人もいれば、ダイナミックな声を出す人もいます。強めの声、重めの声など、声にはいろいろな質があります。これは声帯や共鳴腔の性状などによる違いです。

また、発声法もさまざまですし、長年の習慣で癖がつくこともあります。

あるいは、空気が乾燥してくるとすぐに喉がイガイガして声が変わるなど、体調の変化によっても声は変わります。

メンタルな要因では、歌を聴いている人や指導者に批評されると萎縮して声が変わってしまう人もいれば、何を言われようと大丈夫という人もいます。

そうした自分の〝声の癖〟を知っておくことは大切です。そして、それが悪い癖であれば早めに修正するようにしたいものです。

5 良い状態の〝声〟も医師に把握しておいてもらう

声は生き物です。さまざまな要因によって、悪い状態のときもあれば、良い状態のときもあります。自分でその両方を把握しておくことは重要です。これは臨床音声専門医からの要望でもあります。

私たちが患者さんを診るときには悪いときだけでなく、良いときも診るように努めています。

患者さんが病院へ来るのは調子が悪くなったときですが、実は良いときの状態も把握しておきたいのです。

世の中には、いつ見てもムスーッとした顔をしている人がいます。こういう人を見ると、「なぜこんな顔をしているのかな」「性格も暗いのかな」と思ってしまいます。

声帯も同じです。調子の悪いときも良いときもあります。かかりつけ医がその気で見ていると、声帯の〝顔〟が見えてきます。声のトラブルも未然に防ぐことができます。その意味でも、毎回受診される患者さんの動画像を記録しておくことが大切になります。

また、病院へ来るときに機嫌のいい顔をしている人はあまりいません。ですから、そういうときに会う私たちとしては、つい「この人はいつも不機嫌だな」と思ってしまいがちです。それは診断や治療にも影響を与えてしまう可能性があります。

声帯についても同じです。悪い状態のときだけではなく、良い状態のときも診せてほしいのです。それを比較することで、声のトラブルが起きたときの解決のヒントが得られるからです。

その比較のためには映像を撮っておくことが有用です。いつも「声帯が短い」と思っていた人が、何のトラブルもないときに診たら「声帯は長い」と感じたこともありました。

6 〝声〟の状況をわかりやすく医師に説明する

声のトラブルで病院を受診する際には、声の悩みを具体的に説明するようにしてほしいと思います。

声を使う職業の人はトラブルの種類がきわめて多彩です。その不調も感覚的な場合がほとんどなので、説明も抽象的な言葉になりがちです。たとえば、「声がなくなるんです」と言われることもあり、どういうことなのかを理解するのが大変です。

特に芸術的レベルの人やそれを目指している人ほど、訴えられる内容が難しく、音声の仕事を始めて間もなくの若い頃には、ギブアップしたくなるようなこともありました。

医師はほとんどの場合、音楽は素人で音楽の専門用語にも慣れていません。きちんとした診断・治療を希望されるのであれば、音楽の素人にもわかるような言葉に翻訳して伝えてほしいと思います。

医師もよく患者さんに「専門用語がわからない」と言われます。それと同じことです。お互いが理解できる言語を探して、共通理解のもとで治療に当たりたいものです。

7 医師の治療方針について納得できるまで話を聞く

これは医師の側の反省でもありますが、治療方針などについては納得するまで話をすることが大切です。

一例を挙げましょう。

声のトラブルに対する治療の１つに「沈黙療法」というものがあります。これは声帯の安静療法で、声を使わずに黙っていることで症状を改善させる保存療法です。

プロの歌手の方から、たとえば「数日後が本番なのですが、声の調子がおかしくなった」という訴えがあったとしましょう。

「まあ、しばらく黙っていたら、そのうち治るでしょう」などという返答が〝いちばん困る〟と患者さんがよく言います。

特に声のプロの場合、タイムリミットがありますから、具体的な沈黙期間を含めて治療方針を提示してもらうことが必要です。納得いくまで医師と話をすることをお勧めします。

沈黙療法というのは、眼の病気で両眼に眼帯をつけて療養することと同じです。「いつ眼帯が取れるのか」という具体的な治療方針がわかれば、その間、頑張って治療に励んでくれるのと同じです。

8 "声"を傷める要因を理解する

すでに本書でも述べてきたように、声の異常はさまざまな原因で起こります。

声のトラブルは必ずしも声帯の異常だけで起こるのではありません。呼吸、声帯、共鳴、構音などさまざまなメカニズムから、声を傷める要因を理解しておくことが大切です。

声の異常を起こす病気を考えても、声帯ポリープや結節などはもちろん、風邪、喘息、肺炎、鼻炎、副鼻腔炎などきわめて多様です。

また、身体的に異常がなくても、メンタル面での落ち込みにより、良い声が出なくなることもあります。

さらに、本書の第2章で述べてきたように、声を傷める要因は日常の生活習慣の積み重ねによって起こることが多いので、声のトラブルが出現したら、医師の診療を受ける前に自分で原因ないし、そこに至った経緯をじっくり考えて、要因らしきことに目星をつけておくことです。

これが、声のトラブル解消の大きなキーポイントです。

9 〝声〟の衛生管理を充分に行う

本書の第2章で述べましたが、声の衛生管理を充分に行うことは大切です。

声の衛生管理というのは、喉などの健康を保つということだけではありません。全身的な健康管理をはじめ、耳鼻咽喉科的な病気の管理も大切です。その他、日常生活上の注意もさまざまです。

声の衛生管理を行うことは、声を守るためのケアと同時に、全身の健康を維持することにもつながります。

10 〝声〟をつくる〝呼吸〟について認識度を高める

繰り返し述べてきましたが、声をつくり出すためのエネルギー源は「呼吸」です。発声は呼吸のあり方で決まります。声を出すとき、歌をうたうときは、常に呼吸のことを意識するようにしたいものです。

私が声の悩みの解決に音声訓練を取り入れたのは、40年ほど前でした。当時から声楽の世界には発声訓練として腹式呼吸を基本としたマニュアルを持っている指導者が多くいました。

当初、音声訓練のことでいろいろ教えていただいた木下武久先生は、いつもこんなことを言われていました。

「歌のためには、一にも二にも呼吸。腹式呼吸ができることで、息が充分に入る。そうして入った息は、息の流れ（呼気）を調整しやすく、パワフルな喉頭原音をつくって、共鳴腔で素晴らしい響きを持つ音色がつくられる可能性が高くなる」

この教訓をもとに、声の悩み（声のトラブル）を持つ患者さんたちに、独自の「音声治療」（音声訓練）をしてきました。また、本職である耳鼻咽喉科をリタイアしてからこの数年は、年に3回くらい「腹式呼吸のセミナー」を開催して、声に関心のある方々にお話をさせてもらっています。

現場で声を使うことをしている方々には、自分の発声について考えるとき、いつも自分の「息」（呼吸）のことを考えてほしいと思っています。

11 人間の持つ心身に秘められた潜在能力を信じる

声を使う職業の人に対して、これが私のいちばん伝えたいことです。人間の心身には驚くほどの潜在能力が秘められています。それは、もちろん〝声〟にもあります。

「私の声はこの程度のものだ」と決めつけないでほしいと思います。可能性を追求してください。正しい手法とその手順をもって進めれば、歌が苦手だった人でも驚くほど声が出るようになります。

人間の身体の機能は、素晴らしい可能性を実現するためのパワーを秘めています。人前でしゃべったりすることも、その気でしゃべる練習をすれば、恥ずかしくない程度にはしゃべれるようになるものです。

私も子どもの頃に「運動性失語症」になり、一時声が出なくなったことがありました。中学に入ってできた数人の友人たちが、しゃべれない私をいつも仲間の集まりに入れてくれたおかげで、自分で「しゃべる」「しゃべりたい」という気持ちを高揚させ、ほどなくしゃべれるようになったという思い出があります。

「良い声でしゃべろう」「良い声で歌おう」と考えたからには、前に進むことです。一歩前に出れば、今まで見えなかった視野が広がります。そこでまた新しいもの、新しい課題が出てきて、挑戦する意欲が出てきます。

この繰り返しが、良い結果を出してくれます。人間の心も含めた身体の機能は、素晴らしいものがあることを信じて前に進んでください。

皆さんには、年齢に関係なく、常に「挑戦していくんだ」という志を持って進んでいってほしいと思います。

付章

「小文式呼吸訓練法」

――パワフルな腹式呼吸を習得するために

小文式呼吸訓練法の意義

本来、呼吸法には腹式呼吸（法）、胸式呼吸（法）の2つがあることは、ここまでもお話してきたところです。

実際の発声では2つの呼吸法を同時に使っていることもあって、個々の発声がどちらの呼吸法によってなされているかを見分けることは困難です。「胸腹式呼吸」とするのが道理に合っているかもしれません。

しかし、あえて2つの呼吸法として明確にしておく必要があると考えますと、〝横隔膜の関与〟が大きな場合は腹式呼吸、関与があっても少ない場合、また関与のない場合には胸式呼吸としておくのが無難なようです。

日常会話を楽しむ、カラオケで楽しんで歌うのには、「呼吸」のことなど考えずに発声していますが、これなどは胸式呼吸で充分です。

しかし、声のプロ、またアマチュアでも人前で講演したり舞台で歌ったりする人では、〝しっかりした声〟が要求されます。すなわち、横隔膜を中心に強化した腹式呼吸法を習得することが、どうしても必要になってきます。

長い歴史の中では、声楽発声指導の基本には腹式呼吸法が位置づけられ、それに関するマニュアルが多いのが目につきます。

西洋音楽と同様、邦楽関係、舞台芸術に携わる人は、日本古来の「丹田呼吸」を鍛えて声に磨きをかけたという歴史がそれぞれにあります。

「深みのある重厚な威厳を持った、どっしりした声」

「煌びやかな、柔らかく伸びのある、澄んだ美しい声」

これらの声は、どうして生まれるのでしょうか？

声を扱う医者なら常に考えていることで、好奇心を持ってさらに探究したくなるところではありますが、残念ながらエビデンスをもって結果を出せるような〝きっかけ〟がつかめないというのが本音です。

それでは、横隔膜を中心につくり出される呼吸の測り知れないパワーをどのように引き出したらよいのか。漫然と従来の腹式呼吸法で横隔膜関与と思われる呼吸ができたとしても、ただ横隔膜が動いて呼吸ができているだけでは駄目なのです。

さらにパワーアップしていける動力源として機能を持つにはどうしたらよいかと考えてつく

り上げたのが、「小文式呼吸訓練法」です。

基本的理念は、「息の流れをイメージ」すること。つまり〝呼吸をすること〟のイメージトレーニングです。

横隔膜の関与のもとに体感する〝息の流れ〟を、どのようなイメージをもって訓練するかということが本法の原点です。

これには次のように3つの方式があり、その1つ1つを実践していきます。

①パイプ方式
②「3・2・7」呼吸方式
③振り子方式

実際の訓練では、下記の各項について全身の入念なチェックを行って、必要ならば身体矯正の訓練を同時に実践して進めます。

- 姿勢
- 身体のバランス、重心
- 身体各部の緊張、脱力
- 腹筋、骨盤底筋

訓練の実践については、前著『声の悩みを解決する本』の第5章（108ページ〜）に詳細があるので、参考にしてください。

それでは各方式の訓練について説明していきます。

1 パイプ方式訓練

この方式は、「息の流れ」のイメージを持って行う訓練です。

まず鼻腔・口腔から喉頭、気管を経て、骨盤腔（丹田）にある〝タンク〟（風船）まで、太い直径2㎝くらいの1本の〝パイプ〟がつながっていることを想定します（次ページ図参照）。この〝パイプ〟に息を入れ、〝タンク〟まで流し込む。〝タンク〟に充分息が入ったら、ゆっくり息を流して口から外に放出する。つまり、ただ「パイプの中を息が流れている」、それだけのことです。

一般的な腹式呼吸の練習をするときと同じように、はじめは仰臥位で始めますが、そこでイメージしたパイプに息が流れる感覚をゆったりした呼吸でつかんでいきます。もちろん、息を吸ったときに横隔膜が下降し、腹部が膨らむのを確認することは、従来の方法と同じです。被

パイプ方式のイメージ

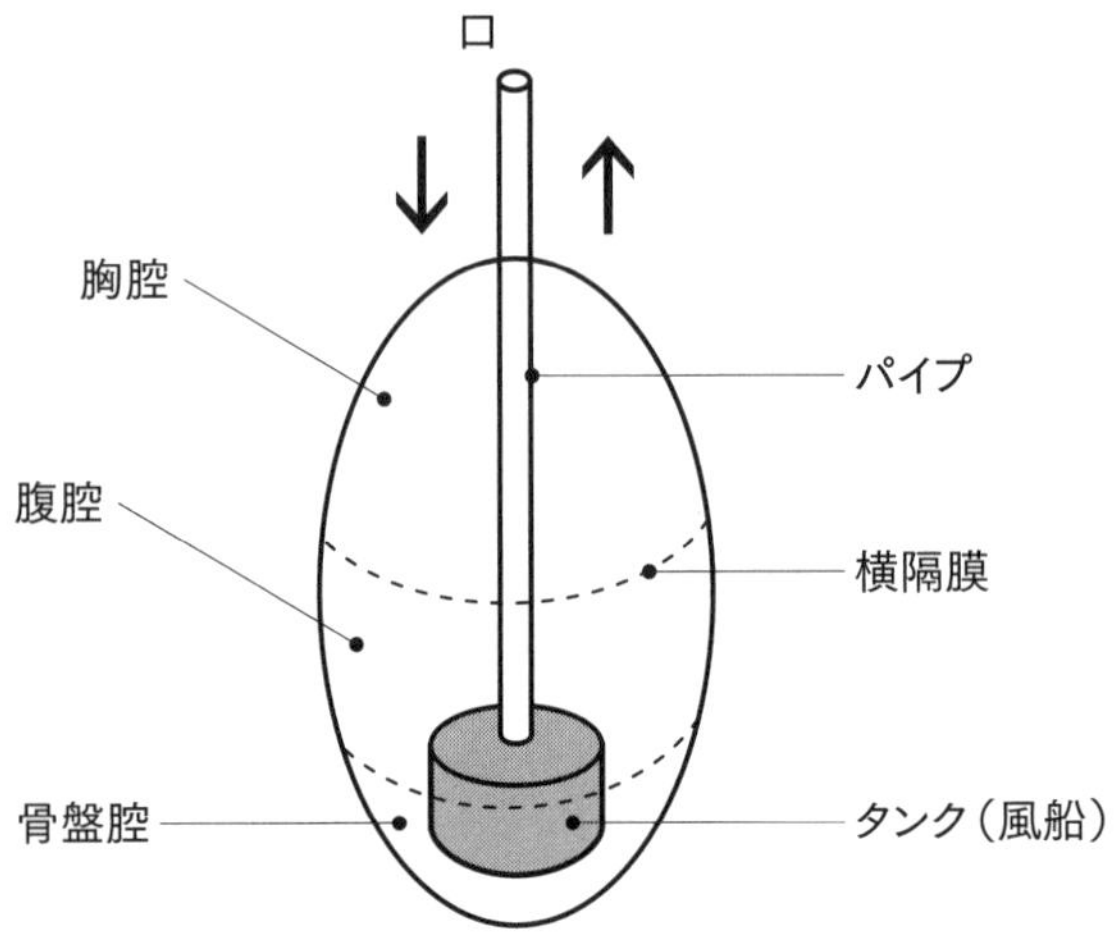

訓練者が「流れの感覚」がわかるまで、何回も繰り返します。

仰臥位で横隔膜と呼吸の連動を確認したら、続けて坐位、立位でやってもらいます。できれば「横隔膜の動きの感覚」もわかってもらうことです。

当然のことですが、訓練をするにあたっては、パイプの入り口からタンクまで、パイプの中は充分に広がっていることが前提で、そのために気道確保（喉の奥を広げて空気の通り道を確保すること）の確認は必要です。

各方式をする際もそうですが、前述の全身の身体チェックをしながら、つまり、姿勢などのチェックから始めていき、矯正するところは、呼吸の訓練と同時に併行して行います。

2　「3・2・7」呼吸方式訓練

この方式は「息をする（呼吸をする）」という行動意識をイメージする訓練です。「息を吸う」「息を止める」「息を出す」という3つの行動を時間設定をして行います。

最初に目をつぶって、気を楽にしてゆったり2〜3回呼吸をしてから始めます。まず3秒で息を吸い、2秒息を止めて、続けて7秒で息を吐きます。息を吐き終わったら、また元に戻って同じことを繰り返すという単純な訓練です。3秒で息を吸うときには、胸郭が広がりますが、横隔膜も下降してくるため、腹部も膨らんでいきます。

次の2秒で息を止めるということですが、この息を止めたときも吸気感覚を持ち、横隔膜だけは下降を続けるイメージを持つことが大切です。もちろん腹部はさらに少し膨らみます。息は止めていますが、声帯（声門）は、吸気と同じ感覚を持って開けておきます（声門開大）。この声門を開けておくことが重要です。

そして次の7秒の呼気に入るには、まず吸気感覚はそのままにして、胸郭が広がった感覚を少しずつ元の状態に戻しながら（すなわち充分に広がった体腔が自然に縮んでいく感覚）、息を少しずつ出していきます。息を出しはじめて2秒くらいから呼気筋にバトンタッチして、横隔膜を下から上方に、腹筋を使って腹腔内圧を上げながら動かしていき、7秒で息を出し終えます。そしてまた、吸気に入り、3・2・7と続けます。

この間、声門は開けたままの状態（声門開大）をキープすることが重要です。

腹腔内圧を上げるには、骨盤底筋群がしっかり働いてくれていて（お尻が締まった感覚）、後は腹筋の丹田（臍下3㎝下から肛門を結んだ線のほぼ中間点）に意識を集中して横隔膜を上げること（つまり息を出すこと）が大切です。

はじめに息を吸う3秒は、少量の息を吸うことからスタートして、慣れてくれば吸う量を増やしていきます。高齢の方は、急に多く息を吸う行動を取ると、目まいや気分の不快を訴える方がおられることにも注意する必要があります。

この方式は、明治大学教授の齋藤孝先生が考案した齋藤式呼吸法（3・2・15方式）に準じて実践しているのですが、実際に息を出す15秒ができないケースに多く遭遇したこともあって、「3・2・7方式」という変法にしています。［『呼吸入門』（齋藤孝著／角川書店）より引用］

3秒で息の量を増やしていけばいくほど、次の2秒の声門を開けて息を止めておくことが難しくなってきます。ここで「呼吸保持」が必要になってくるのです。

2秒で息を止めたところから息を出していく次のステップでは、まず拡張した胸郭（肺を含めて）の自然収縮、同時に息を吸って膨らんで張り出した腹部を元に戻す感覚を持って、少しずつ息を出していき、途中から腹筋を使って腹腔内圧を上げ、呼気筋などを使って7秒で息を流します。

この息を止めて次の息を出す切り換え点、つまり拮抗する呼気、吸気の切り換えをいかに調整していくかという「呼吸保持」の訓練が腹式呼吸のいちばん大切なところであり、訓練のいちばん難しいところでもあります。

何回も訓練をやることによって、その感覚が身についてしまえば、呼気圧の調整ができて発声訓練の難しさも緩和していくのではないでしょうか。パワフルな呼吸を使えることも可能になると考えます。以上のことは、これまでの実践訓練の実績から確信しています。

3　振り子方式訓練

ここでは「呼吸のリズム」をイメージして行います。

はじめに呼吸のリズムを、糸の先端につけた分銅が左右に振り子運動をするというイメージ

振り子方式のイメージ

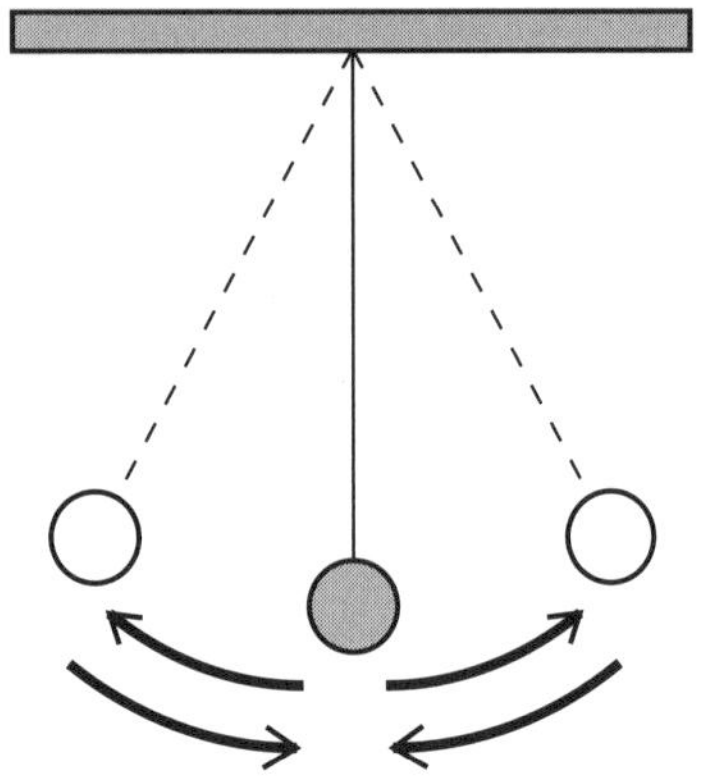

を持ってもらいます（上図参照）。

人の呼吸の中で、安静時に行っている呼吸というのは、無意識下で呼気、吸気にわずかな差はあるものの、ほぼ等しく呼吸しています（1分間15〜16回）。

まず、安静呼吸のリズムを、分銅の振り子運動に置き換えてイメージします。つまり、日頃は意識のないところでしている呼吸を意識することから始まります。分銅の振りを左右に少しずつ大きくすると（振り幅が大きくなると）、振りも大きく、すなわち呼吸もゆっくり大きくなります（もちろん横隔膜の動きと連動していることをイメージしながら）。

このようにして分銅の振り幅を大きくしていき、呼吸のリズムが安定したら、分銅が最下点に達したときに発声を開始してみてください。イメージした「起声発声」が出やすくなり、さらにパワフルな発声にもつながっていくはずです。

声のトラブルを起こす人の場合、この呼吸のリズムを無視して発声をしているケースが多くあると思います。

日頃から常に呼吸のリズムを意識することは、声のプロ、特に歌う人には絶対に必要なことです。スポーツなども、呼吸のリズムをイメージしているケースが多いと思います。

たとえが悪いですが、ゴルフのスイングにしてもしかりです。分銅の振り子運動が最下点に達したときの状況をわかっていないと上達につながらないのと同じだと思っています。


腹式呼吸から強いパワーが引き出せ、しかも自分でコントロール（制御）できる息の使い方ができる訓練法として、この「小文式呼吸訓練法」を考えましたが、実践してみて、訓練を受ける側からは「訓練の内容がわかりやすくて取り組みやすい」「自分の中で呼吸の使い方が実感できるようになった」などの感想をいただいております。

また訓練をする側からとしては、皆さん一様に積極的に取り組んでくださり、また従来の方法に比べてドロップアウトが少なく、訓練期間が短縮した印象を持っております。

なお、本訓練法の詳細は、先述しましたが、前著の『声の悩みを解決する本』の第5章（112ページ～）にありますので、参考にしていただければと思います。

おわりに

30〜40年ほど前にカラオケがブームになりました。それをきっかけに、日本人の声に対する関心が高まったことはたしかです。

その頃から、耳鼻咽喉科にも「カラオケで声がおかしくなった」という患者さんがたくさん来るようになりました。

カラオケの普及で、一般の人にも「人に良い声を聴かせたい」というニーズが生まれ、どうすれば声がきれいになるかを考える人が増えました。

自分の声に対する関心が高まったことで、セールスマンなどでも良い声でしゃべったほうが有利だという考え方が出てきました。

あるとき、薬の営業の仕事をしている人が、顧客に「もう少しはっきりしゃべってもらえませんか?」と言われたとのことで来院しました。そこで、腹式呼吸を教えました。

2〜3か月ほどするとしゃべり方が劇的に良くなって、そのために営業成績が上がり、支店長に栄転しました。

コミュニケーション能力が高まるということは、声を出すプロばかりではなく、誰にとっても大事なことです。

重要なのはまず呼吸です。そして、しゃべる速度が大切です。ゆっくりしゃべるようにすると、ゆとりが出てきます。呼吸する時間をしっかり持つことによって、自律神経の緊張のバランスが取れてきます。

しかし、せわしなく息を吸ってはしゃべる、吸ってはしゃべるといったしゃべり方をしていると、自律神経はどんどん緊張し、バランスを崩していきます。

こうしていると、結局のところ声帯に負担がかかり、声にトラブルが出ます。呼吸がいかに大切かということを理解していただきたいと思います。

どんなジャンルでも、呼吸がきちんとできて歌っている人の声は聴いていても疲れません。その姿を見るとわかります。歌っているときに首に筋が立つようであれば胸式呼吸になっている証拠です。そういう悪い発声で歌い続けると、やがて声帯ポリープや結節ができる可能性もあります。

そうなってからでは手遅れなのです。そのためにも、きっちりした腹式呼吸を身につけてください。

声のトラブルを抱えて受診した患者さんに対しては、決まった診察手順があります。問診でトラブルの内容について詳しく話を聞きます。そしてトラブルに至る原因について、またそこに至る経緯について、時間をかけても究明する努力をします。

それが「声の悩み」を解決するいちばん大切なことだからです。

そして所見を評価して診断し、治療方針を決めて治療を行います。さらに、治療が終わった後に予防のための指導をして、数か月来院してもらい、フォローします。

私が現在重視しているのは最後の「予防」の部分です。予防のためのケアをしっかりと行わないと、治療して良くなってもまたすぐに再発してしまいます。

本書では、私が実際に患者さんへアドバイスしている「良い声を守るための予防法」について紹介してきました。

誰もが正しい呼吸法をマスターして声を出すことで、ご自身の健康を、そして声の健康を維持してほしい。それが臨床音声専門医としての私の大きな願いです。

本書を通して、声に対する人々の関心がさらに高まり、声の健康を守ることを真剣に考える人が1人でも増えてくれたら、著者として望外の喜びです。

最後に、本書の刊行に際しては多くの方々のご協力をいただきました。

まず小文式呼吸訓練にあたって、いろいろご助言を賜わりましたスポーツトレーナーの萩本晋司氏に、この紙面を借りまして、改めてお礼を述べさせていただきます。

また、私とともに小文式呼吸訓練に携わってくれました、森本まどか氏をはじめ、足立有美、福原亜季、重田里衣諸氏には深甚の謝意を表します。

さらに、はじめての著書を出版したときからお世話になっております現代書林の小野田三実氏、今回2冊目の書を立ち上げるにあたり便宜を図ってくださった松島一樹氏、エムエス・ファクトリーの嶋康晃氏には、この紙面を借りてあらためてお礼を述べさせていただきます。

皆様、ありがとうございました。

令和2年3月

文珠敏郎

著者略歴

文珠敏郎（もんじゅ　としお）

医学博士
小文式音声訓練研究所 特別顧問

昭和11年、大阪市生まれ。
大阪医科大学卒業後、
京都大学医学部耳鼻咽喉教室に入局。
その後、奈良県の天理よろづ相談所病院勤務を経て、
近畿大学医学部耳鼻咽喉科にて、
故・小池靖夫先生のもと、臨床音声を研鑽する。

昭和56年、大阪市内に耳鼻咽喉科を開設。
音声クリニック（音声相談コーナー）を併設して35年、
プロ、アマを問わず、多くの声の悩みの解決に尽力する。

平成28年3月、診療所を閉院する。

著書に
『声の悩みを解決する本』（現代書林）がある。

大切《たいせつ》な声《こえ》を守《まも》り続《つづ》ける本《ほん》

2020年 4月29日 初版第 1 刷

著　者 ―――――― 文珠敏郎《もんじゅとしお》
発行者 ―――――― 坂本桂一
発行所 ―――――― 現代書林
〒162-0053 東京都新宿区原町3-61 桂ビル
TEL／代表 03(3205)8384
振替00140-7-42905
http://www.gendaishorin.co.jp/

ブックデザイン ―――― 藤田美咲
図版・イラスト ―――― 文珠美紗

印刷・製本 広研印刷㈱
乱丁・落丁本はお取り替えいたします。

定価はカバーに
表示してあります。

ISBN978-4-7745-1851-0 C0073